CBN
A RÁDIO QUE TOCA NOTÍCIA.

senac rio
EDITORA

CB007685

CBN

A Rádio que Toca Notícia

— A história da rede e as principais coberturas

— Estilo e linguagem do all news

— Jornalismo político, econômico e esportivo

— A construção da marca

— O modelo de negócio

Mariza Tavares
Giovanni Faria

(orgs.)

CBN
A Rádio que Toca Notícia

José Roberto Marinho

Nizan Guanaes

Heródoto Barbeiro

Mariza Tavares

Rubens Campos

Mari Ventura

Franklin Martins

Miriam Leitão

Juca Kfouri

Leonardo Stamillo

Giovanni Faria

CBN, a rádio que toca notícia © Mariza Tavares e Giovanni Faria (orgs.)

Direitos desta edição reservados ao Serviço Nacional de Aprendizagem Comercial – Administração Regional do Rio de Janeiro.

Vedada, nos termos da lei, a reprodução total ou parcial deste livro.

SENAC RIO

Presidente do Conselho Regional
Orlando Diniz

Diretor regional
Décio Zanirato Junior

Editora Senac Rio
Avenida Franklin Roosevelt, 126/604
Centro – Rio de Janeiro – RJ – CEP: 20.021-120
Tel.: (21) 2240-2045 – Fax: (21) 2240-9656
www.rj.senac.br/editora
comercial.editora@rj.senac.br

Editora
Andrea Fraga d'Egmont

Coordenação editorial
Cynthia Azevedo

Equipe de produção
Andrea Ayer e Karine Fajardo

Copidesque
Cristiane Pacanowski e Flávia Marinho

Revisão
Flávia Marinho e Karine Fajardo

Assistentes editoriais
Cristiane Pacanowski e Flávia Marinho

Locução
Carolina Morand

Projeto gráfico
Crama Design Estratégico

Direção de design
Ricardo Leite

Design
Simone Lagares

Editoração eletrônica
FA Editoração

1ª. edição: Agosto de 2006

C379
    CBN, a rádio que toca notícia : a história da rede e as principais coberturas, estilo e linguagem do all news, jornalismo político, econômico e esportivo, a construção da marca, o modelo de negócio / organização Mariza Tavares e Giovanni Faria – Rio de Janeiro : Editora Senac Rio, 2006.
    152 p.: 20 x 23 cm
    ISBN 85-7756-000-7

    1. Rádio CBN – História. 2. Rádio – Brasil – História. 3. Rádio – Estações – Brasil – História. 4. Rádio – Programas – Brasil – História. 5. Radiojornalismo – Brasil. I. Tavares, Mariza. II Faria, Giovanni.
06-2967
                      CDD 384.5453
                      CDU 654.195

DEDICATÓRIA

A todos os profissionais que, nesses 15 anos de existência, tornaram a CBN uma referência no radiojornalismo brasileiro. Mas, principalmente, a todos os ouvintes que, ao longo deste tempo, nos prestigiaram, elogiaram, criticaram e deram sentido a nosso trabalho.

Mariza Tavares
DIRETORA EXECUTIVA DA CBN

INTRODUÇÃO

Havia ondas curtas, ondas médias, ondas longas, mas a História só registra duas grandes ondas – ou eras – do rádio. Vivi as duas, em parte.

A primeira, fruto natural do desenvolvimento tecnológico, estendeu-se dos anos 1920 ao início dos anos 1950. O aparelho de rádio era mais do que o eixo central da casa. Janela para o mundo: notícias, música (incluindo música clássica em emissoras comerciais), crônicas literárias, *shows*, humor, futebol, radioteatro (e não apenas radionovelas).

Por meio de um receptor Philips meio *art nouveau*, entre chiados e sumiços, ouvi a Copa de 1938, a demagogia castiça de Getúlio Vargas e as angústias dos primeiros anos da Segunda Guerra Mundial. Já por meio de um aparelho RCA Victor, estilo *art déco*, vivi os triunfos dos últimos anos da guerra, o esmagamento do nazifascismo e o início do que hoje chamamos multiculturalismo e mundialização. Na rádio MEC (onde trabalhei) ouvia-se a melhor música brasileira, associada à fase de ouro do *jazz* e à intelectualizada *Douce France*.

Duas décadas depois, fomos irremediavelmente envolvidos pela segunda onda do rádio, também estimulada pelos avanços da tecnologia. Com uma diferença: o aparelho de rádio saiu da sala de jantar para integrar-se ao ambiente.

No carro, no bolso, na bolsa, no banheiro, na cozinha, no elevador, na gaveta da mesa de trabalho, na cabeceira da cama, o minúsculo rádio era a porta de entrada para um mundo em transformação. A notícia já não se resumia à novidade de última hora, transformou-se em ferramenta de participação. Não foi milagre, foi necessidade.

Lembro-me sempre do maravilhoso filme com Robin Williams, "Jacob, The Liar" (no Brasil, "Um sinal de esperanças"), de 1999, passado numa cidadezinha ocupada pelos nazistas, na Europa Central, onde uma notícia — mesmo falsa, mas atribuída a uma rádio — acabou com os suicídios e injetou vontade de resistir.

O *revival* do rádio associa-se no Brasil a uma história de sucessos denominada Central Brasileira de Notícias, a CBN. Em apenas 15 anos, uma reviravolta que alterou definitivamente a arrumação da mídia.

A façanha está registrada de forma palpitante nas páginas que se seguem, mas pode ser captada naquele tom coloquial e ameno das conversas entre amigos que marca a sua programação.

A rádio que toca notícia também toca aproximações, entendimento, solidariedade. Esta onda toca a todos.

Alberto Dines

SÃO PAULO, JUNHO DE 2006.

Rede CBN

Emissoras próprias

CBN Rio de Janeiro — 860 AM e 92.5 FM
CBN São Paulo — 780 AM e 90.5 FM
CBN Belo Horizonte — 106.1 FM
CBN Brasília — 95.3 FM

Afiliadas

CBN Blumenau / SC — 820 AM

CBN Campinas / SP — 99.1 FM

CBN Cuiabá / MT — 590 AM

CBN Curitiba / PR — 90.1 FM

CBN Florianópolis / SC — 740 AM

CBN Fortaleza / CE — 1.010 AM

CBN Goiânia / GO — 1.230 AM

CBN João Pessoa / PB — 1.230 AM

CBN Londrina / PR — 830 AM E 93.5 FM

CBN Maceió / AL — 104.5 FM

CBN Manaus / AM — 91.5 FM

CBN Maringá / PR — 95.5 FM

CBN Mogi Mirim / SP — 610 AM

CBN Natal / RN — 1.190 AM

CBN Paranaguá / PR — 1.570 AM

CBN Ponta Grossa / PR — 1.300 AM

CBN Porto alegre / RS — 1.340 AM

CBN Recife / PE— 90.3 FM

CBN Ribeirão Preto / SP — 96.9 FM

CBN Teresina / PI — 910 AM

CBN Vitória / ES — 93.5 FM

14 **Rádio como exercício de cidadania**
José Roberto Marinho

22 **Slogan feito sob medida**
Nizan Guanaes

28 **O desafio da ancoragem**
Heródoto Barbeiro

44 **Os ingredientes de uma receita que deu certo**
Mariza Tavares

56 **De patinho feio a cisne para os anunciantes**
Rubens Campos

66 **Campanhas publicitárias**
Mari Ventura

82 **A marca da agilidade**

Franklin Martins

90 **Economia instantânea**

Miriam Leitão

102 **Coragem de mudar**

Juca Kfouri

110 **Cobertura local 24 horas por dia**

Leonardo Stamillo

124 **Falar e escrever corretamente**

Giovanni Faria

135 **No ar, dicas para jornalistas de rádio (e também para os ouvintes)**

Rádio como exercício de cidadania

José Roberto Marinho

VICE-PRESIDENTE DAS ORGANIZAÇÕES GLOBO

Assim como meus irmãos, Roberto Irineu e João Roberto, comecei a trabalhar cedo no jornal O Globo – antes de completar 18 anos – e meu apego ao jornalismo sempre foi muito grande. Fui repórter e trabalhei na redação de O Globo durante 11 anos. Foi então que, na década de 1980, a família resolveu investir mais no Sistema Globo de Rádio (SGR) – e, em 1986, eu "desembarquei" nas ondas do rádio. Tratava-se de uma oportunidade de vivenciar algo mais ligado a resultados, de acompanhar o processo de reengenharia de uma empresa. Fiquei na área das FMs musicais e de promoções, setor no qual a rádio enfrentava uma concorrência muito forte. ❧ No entanto, apesar de estar focado no segmento musical, meu interesse pelo jornalismo nunca diminuiu. Já tinha percebido uma presença muito marcante de radiojornalismo em São Paulo, com forte atuação de rádios como Globo,

Bandeirantes, Jovem Pan e Eldorado AM. Eu reconhecia o potencial daquele nicho e me ressentia porque a praça do Rio de Janeiro não tinha nada semelhante. Embora a Rádio Jornal do Brasil fosse uma referência, não era uma emissora jornalística de serviço – era até mais intelectualizada, com grandes programas de entrevista.

Nesse período, comecei a viajar para conhecer o que estava sendo feito no exterior. Em paralelo, eu era presidente do Escritório do Rádio – um espelho do Radio Advertising Bureau (RAB) americano, que reunia emissoras de São Paulo e do Rio para valorizar o rádio perante os anunciantes. O Escritório do Rádio foi responsável ainda por várias campanhas de *marketing*, realizadas em todas as emissoras, que levaram a um aumento de participação do veículo no bolo publicitário na época. Por conta dessas conexões, o próprio RAB agendou minhas visitas e pude conhecer rádios com diferentes características. A ABC, por exemplo, funcionava como uma agência, produzindo conteúdo que era disponibilizado para uma enorme rede de afiliadas, e com poucas emissoras de sua propriedade. Seu forte era o material nacional e internacional, mas não era uma rádio voltada para a comunidade – as afiliadas é que produziam o conteúdo local. Um outro modelo completamente diferente era o da CBS, mais parecida com o perfil de conteúdo jornalístico da Rádio Globo, totalmente voltado para sua cidade.

Achei mais interessante optar por um *mix*: usar o modelo da CBS, de conteúdo local e prestação de serviço, mas já acrescentando o conceito de rede, como operava a ABC – só assim ganharíamos em escala sem perder a proximidade com o ouvinte. A fórmula se provou correta, já que a CBN acabou se tornando o produto mais rentável do SGR.

Com a entrada de Jorge Guilherme para a direção de jornalismo do SGR, em 1989, pudemos colocar o projeto de pé. Ele era o homem certo na hora certa, até porque vinha com a experiência da Radiobrás e da Agência O Globo de Notícias. Uma das nossas maiores preocupações era dar ênfase à prestação de serviço, que já caracterizava o jornal O Globo desde o início de sua história. O jornal sempre foi um veículo que atendia não só à elite, mas também às camadas populares. Essa era a tônica que Roberto Marinho, meu pai, dava para o jornal e foi o *briefing* que passei para o pessoal da rádio. E isso se mantém até hoje: a CBN traduz as informações para uma linguagem que todo mundo possa entender, com ênfase na prestação de serviço em todos os campos.

Empresarialmente, nosso objetivo era poder replicar esse modelo em todas as praças, com momentos nacionais se alternando com momentos locais. Novamente, buscamos um *mix* entre a afiliação da TV e o perfil de agência que produz pacotes de notícias – essa foi a receita para moldar a CBN. Só que o ambiente de rádio era francamente hostil à idéia na época. Ninguém apostava no modelo e as agências de publicidade nem programavam anúncios em rede, mas o mercado acabou reconhecendo o valor da CBN e outras rádios seguiram esse perfil.

Para pôr em prática todas essas idéias, saímos em busca de profissionais que já tivessem um perfil adequado à rede que pretendíamos criar. Vou me deter em três nomes, igualmente importantes, que ainda estão conosco até hoje: Heródoto Barbeiro, Sidney Rezende e Oscar Ulisses. Com Heródoto, houve empatia de cara: era muito bem preparado, professor de História e com grande experiência como comunicador. Eu também já conhecia o Sidney do programa "Encontro com a imprensa", da Rádio Jornal do Brasil, que tinha grande repercussão nos meios empresarial e publicitário. Na época, ele estava na Rádio Panorama, que não existe mais, e apresentava o "Panorama Brasil". Oscar Ulisses também participou intensamente dessa primeira fase como locutor e comentarista esportivo. Todos ficaram muito empolgados e mergulharam de cabeça no projeto.

O desenho da grade foi feito a quatro mãos, por mim e por Jorge Guilherme. Discutíamos o perfil, as características de cada programa, e gravávamos os pilotos – foi uma "gestação" longa, de meses até a estréia. Havia certa preocupação de que a CBN pudesse fazer sombra à Rádio Globo, que até então era a referência jornalística no meio rádio, mas o momento certo era aquele. Estávamos voltando ao estado de democratização plena e o Sistema Globo de Rádio tinha de ter uma participação jornalística baseada na construção e no fortalecimento da cidadania.

No começo, ainda havia um volume grande de repetições de entrevistas – na primeira semana, a CBN tocava até música. Ainda estávamos na fase dos ajustes... Mas logo depois da estréia, foi alta a receptividade dos formadores de opinião, por ser uma rádio arejada, que dava voz para todo mundo, bem dentro da orientação jornalística do grupo.

O mais fascinante do rádio é a agilidade, porque esse é o perfil do meio: rapidez e interatividade. Um bom exemplo disso foi o blecaute de 1997, quando a CBN foi um verdadeiro braço da Defesa Civil – o fato guarda semelhanças com a cobertura da TV Globo na enchente de 1966, no Rio de Janeiro. E mostra muito bem a nossa preocupação com a vida da comunidade.

Olhando para trás, vejo que, 15 anos depois, a CBN se mantém fiel ao projeto que desenhamos: ênfase em prestação de serviço e jornalismo de qualidade, mas em linguagem acessível e incentivo à cidadania. Esse tripé significou e significa, principalmente, respeito ao ouvinte. E não tenho dúvidas de que foi o passaporte para o sucesso da CBN.

Remédio certo na hora exata

— Oito e meia, dona Nadir. É hora de seu remédio.

Alguns entendem como mero bordão, mas o recado diário de Juca Kfouri durante o "CBN Esporte Clube" é para valer. E a história nasceu logo no dia de estréia do programa das 20h na CBN, em 2000, quando dona Nadir ligou para a redação em São Paulo e deixou o seguinte recado para ser entregue a Juca:

— Avise a esse rapaz que rádio é prestação de serviço e que se ele não informa as horas eu esqueço de tomar o meu remédio.

Recado recebido, Juca não perdeu tempo. Já no programa seguinte, se lembrou de dar as horas, olhou para o relógio e mandou para o ar, pela primeira vez, o recado: "Oito e meia, dona Nadir, é hora de seu remédio." Juca relembra: "O pessoal do estúdio olhou para mim como se eu fosse maluco. Aí pensei: isso pode ficar engraçado. Então fiz de novo às nove horas. No dia seguinte, recebi novo recado dela, agora mais 'amistoso'":

— Diga a esse rapaz que ele é muito delicado e que fiquei muito feliz de ele ter falado meu nome.

Dona Nadir deixou o número de telefone e, tempos depois, estava no ar, sendo entrevistada por Juca e revelando sua admiração pela CBN, emissora que ouve desde que acorda até a hora de dormir. "O curioso é que muita gente pensa que dona Nadir é minha mãe ou parente. Até tenho uma tia chamada Nadir Kfouri, que tem 92 anos, foi reitora da PUC em São Paulo e está certa de que a homenagem é para ela", completa Juca.

CPI AO VIVO, INOVAÇÃO DA CBN

Antes mesmo de completar um ano de existência, em meados de 1992, a CBN já mudava o rumo da história do rádio: foi a primeira emissora a fazer a transmissão ao vivo dos depoimentos da chamada CPI do PC Farias, o tesoureiro da campanha presidencial de Fernando Collor de Mello, que articulava o esquema de corrupção e tráfico de influência no Governo Federal. Na época, a CBN instalou uma linha telefônica no Congresso Nacional e levou aos ouvintes, integralmente, depoimentos que culminaram com a abertura do processo de *impeachment* de Fernando Collor e sua renúncia ao cargo de presidente da República.

Com as transmissões ao vivo da CBN, os ouvintes puderam acompanhar, passo a passo, depoimentos cruciais como o de Ana Accioly, secretária de Fernando Collor, e de Francisco Eriberto, ex-motorista do presidente, que confirmaram detalhes do esquema. O pioneirismo da CBN não só permitiu que os cidadãos tivessem uma visão mais ampla dos acontecimentos, como obrigou as demais emissoras de rádio, além das de TV, a fazer o mesmo.

– A transmissão ao vivo mudou a conduta também dos políticos e parlamentares. A partir de então, o que dissessem seria ouvido por todo o Brasil. A CBN ocupou seu espaço e ganhou credibilidade – relembra Marcos Villas Boas, ex-âncora da emissora em Brasília.

Hoje, a transmissão ao vivo de eventos marcantes, especialmente na esfera política, como os depoimentos nas CPIs no Governo Lula, é prática comum e marca do jornalismo da CBN.

Um marco para a CBN: 11 de setembro de 2001

Dia 11 de setembro de 2001. A vinheta "Plantão CBN" é acionada para toda a rede e o âncora da CBN São Paulo, Milton Jung, dá a notícia em tom grave: "Um avião bateu numa das torres do World Trade Center, em Nova York..." Eram 9h56 de uma terça-feira, exatamente 11 minutos após o choque do Boeing 767-200 da United Airlines com o WTC. O programa mudou de rumo: as entrevistas marcadas caíram; o noticiário esportivo que estava em andamento foi deixado de lado e os repórteres na rua se deslocaram para pautas afins à tragédia que acabara de acontecer. "Assim começou a cobertura da CBN num dos momentos mais importantes da história contemporânea", relembra Milton Jung. Embora em horário local, a CBN formou e manteve a rede com as afiliadas durante todo o dia, bem como a cadeia com outras emissoras do Sistema Globo de Rádio. Os acontecimentos que se seguiram, como o choque do segundo avião na outra torre do WTC, ocorrido às 11h03, foram transmitidos ao vivo a partir de imagens de TV. O que inicialmente parecia para o âncora um incêndio ou o choque de um pequeno avião numa das torres tornou-se uma tragédia sem paralelos. "Em seguida, vieram explosões e ataques a outros pontos dos Estados Unidos, como ao Pentágono. Foram, sem dúvida, atentados preparados para a TV, mas, na hora em que ocorreram, ainda de manhã, com as pessoas se deslocando para o trabalho, muitas delas ficaram sabendo pelo rádio", recorda Milton Jung. O assunto tomou conta da programação da CBN, com dezenas de entrevistas com moradores de Nova York, correspondentes, especialistas e com a repercussão no mundo todo.

Slogan feito sob medida

Nizan Guanaes

PUBLICITÁRIO

Eu amo rádio. ❖ É um dos veículos mais modernos do mundo. ❖ O rádio é on line, é interativo. O rádio é móvel, o rádio é *self-generated content*. Todas essas terminologias novas que a gente ouve, muito modernas, o rádio já faz. ❖ É por isso que pelo rádio chegam até o povo brasileiro algumas de suas maiores paixões: o futebol, a música e a fofoca. ❖ O rádio é o veículo companheiro. Em certas regiões do país, ele determina o tamanho da cozinha. Nessas regiões, o tamanho da cozinha onde a mulher ouve seu rádio enquanto se ocupa de seus afazeres é tão importante quanto a sala. ❖ Conheço bem rádio, não apenas pela minha vida na propaganda, em que o rádio é um *must*, mas porque já trabalhei nesse veículo. ❖ Fui locutor, programador e diretor da Rádio Cidade de Salvador. Fazia as madrugadas, "locutando" e operando sozinho. ❖ Esse contato direto e quente com a população era uma aula diária de comunicação. É um clique que dá na sua cabeça, que faz você ver a comunicação sempre pelo ângulo de quem escuta, e não de quem fala. Todo sujeito que já fez programação de rádio sabe que as pessoas querem ouvir sucessos. Isso estabelece um paradoxo. Porque não é possível tocar sucessos sem tocar músicas novas, portanto desconhecidas. Só que, quando você coloca muita música nova na programação, a audiência cai. O segredo é, portanto, saber escolher novidades que o povo vai amar imediatamente, misturando com outras não tão "fáceis", mas que serão hits, juntando com aquelas que o povo já espera ouvir. Esses *insights* de meus dias de rádio – sobre o que atrai a atenção do Brasil, quanto ele suporta e quer novidade, inovação e repetição – me acompanham pela vida, ao longo dos meus dias de propaganda. E foram importantes para meu êxito quase uma década depois, no disputadíssimo mercado de São Paulo. Em 1991, a DM9 tinha apenas dois anos de vida e estava só começando em São Paulo. Nós a havíamos aberto em 19 de setembro de 1989, e aí o Plano Collor levou todo o dinheiro que os investidores colocaram na agência. Mas, apesar dessas adversidades, estávamos indo bastante bem. Não tínhamos dinheiro para contratar medalhões, então contratávamos só gente jovem começando. Um tal de Marcello Serpa aqui, uma tal de Alexandre Gama ali, um Marcelo Aragão ali... e lá íamos nós. O Sistema Globo de Rádio – meu Deus, quanta honra! – também não devia ter lá muita verba ou não queria se indispor com as agências grandes e deu para a DM9 a superoportunidade de lançar uma tal de CBN, que também estava começando. Eu tinha feito nome como criador na DPZ e W/Brasil, mas estava começando como dono de agência. A CBN apostou em mim. Sou formado em Administração de Empresas e, se pudesse explicar de maneira sintética por que obtive sucesso em publicidade, é porque consigo pensar como cliente. Isso explica, além do sucesso, as muitas das brigas que tive na propaganda. Publicidade e entretenimento devem andar juntos. Não pode ser só arte, não pode ser só *briefing*. Maravilhoso é quando consegue ser os dois. "CBN, a rádio que toca notícia" é um dos grandes *slogans* da história da propaganda brasileira porque consegue justamente isso. É mais que *slogan*, é um posicionamento do rádio que tem atravessado anos, agências, mudanças e permanece até hoje. Porque não é só uma frase de efeito. Ele define o que a CBN é. Se a memória não me trai, esse *slogan* foi feito por Eugênio Mohallem, então jovem redator começando na

DM9, vindo de Minas. "A rádio que toca notícia" é propaganda exatamente como eu acredito. Propaganda não é uma frase de efeito. É frase que faz efeito. A vida inteira meu papel como diretor de criação foi escolher isso. Separar as pérolas das tranqueiras. Não me interessa aquilo que só vai brilhar para nós. O *inside joke*. Boa propaganda é aquilo que se hospeda imediatamente no ouvido, no coração, na memória. Que faz pensar, que faz lembrar, que faz querer, que faz sentido. E é por isso que "a rádio que toca notícia", que é o *slogan* de uma emissora de gente crítica que está acostumada a questionar, continua sendo usado ao longo de tanto tempo e parece inacreditavelmente novo. A CBN faz parte do dia-a-dia da história do Brasil e não há honra maior para um ex-locutor do que fazer parte até hoje da história do rádio, por meio de uma frase que a CBN repete e realiza todos os dias.

"Ponto e contraponto" marcou época

Durante anos, "Ponto e contraponto" marcou a passagem entre o fim do Jornal da CBN Primeira Edição e o início da CBN São Paulo. Lado a lado, os âncoras Heródoto Barbeiro e Miguel Dias trocavam, de segunda a sexta, idéias sobre os temas mais importantes ou interessantes do dia, utilizando a fórmula muito comum nas FMs musicais em que um DJ, ao encerrar seu período de apresentação, "passa o bastão" para o DJ seguinte, numa conversa de alguns minutos marcada pela informalidade. "Numa rádio de notícia isso é muito mais fácil do que numa emissora musical, porque as pautas podem ser repassadas e avançadas", compara Heródoto Barbeiro, para quem o modelo também permitia a entrega da audiência do programa que terminava para aquele que estava começando. Miguel Dias depois trocou a CBN pela Rádio Globo, e morreu em 2002. "Ponto e contraponto" deixou sua marca no ar.

VERISSIMO, UM SEXAGENÁRIO DESANIMADO

Em 26 de setembro de 1996, dia em que chegava aos sessenta anos, Luiz Fernando Verissimo mostrou um pouco de seu humor refinado numa entrevista concedida a Maria Lydia, então âncora do "CBN Total". Lá pelo meio da conversa, o escritor e jornalista gaúcho, filho de Érico Verissimo, disse que não iria comemorar aquela data, que não estava achando a menor graça em fazer sessenta anos e que, por fim, detestava a (nova) idade.

– Aí eu indaguei a razão daquele desânimo – conta Maria Lydia. – E emendei: Logo você, Verissimo, um homem realizado, bem-sucedido na vida e na carreira.

Para espanto da âncora, a resposta do tímido Verissimo foi de bate-pronto.

– A razão de meu desânimo é a palavra que designa a idade: sexagenário. Essa palavra é uma afronta – disse Verissimo.

Maria Lydia lembra que ainda tentou argumentar que se tratava de uma palavra como outra qualquer. Mas o entrevistado rebateu.

– Palavra como outra qualquer, nada! Sexagenário vai me lembrar que, daqui para a frente, sexo só mesmo nessa palavrinha antipática.

O desafio da ancoragem

Heródoto Barbeiro

ÂNCORA DO JORNAL DA CBN

O desafio da ancoragem em rádio somente de notícias surgiu em uma época importante de transformações sociais e históricas, e foi envolvido nas grandes mudanças no final do século XX. ❧ O conceito inicial seria o de aplicar no rádio os mesmos princípios éticos e profissionais de outros meios, com base na premissa de que jornalismo é jornalismo não importa por onde seja propagado. Isso não era tão claro na época, principalmente quando uma concessão era objeto de moeda de barganha política e muitas emissoras surgiram como palanques ou púlpitos eletrônicos com a função de perpetuar as velhas oligarquias no poder, ou enriquecer os caixas dos templos religiosos. ❧ O ranço do passado era muito forte e a linguagem mais comum dos gestores era a do "jornal falado". Mal percebiam que o Repórter Esso era apenas uma referência histórica e pertencia ao passado – um cadáver tirado do armário toda vez que se tentava desenhar um projeto jornalístico. Era de uma outra época, de uma outra realidade.

A inovação da proposta começava com uma clara distinção do que era editorial, informativo e interpretativo. Isso estava mais claro na mídia impressa, mas não na mídia eletrônica, e os que se empenharam na construção do projeto da CBN sabiam que a conquista da credibilidade também passava por aí. A proposta era aposentar para sempre – em nome de isenção, busca da verdade, compromisso ético, pluralidade de versões e respeito ao contraditório – o símbolo do *the master's voice*, ou seja, ter uma ancoragem intimamente ligada ao interesse público.

A tarefa era desafiadora e instigante, uma vez que se propunha a uma mudança não só de programação, como a de adesão a um conjunto deontológico. Jornalismo só se faz em equipe e essa máxima permeou o projeto desde o seu início – jornalista não se confundia com artista. Um trabalha com fatos, outro com a ficção. Emissoras com programações musicais e de entretenimento eram mais rentáveis e era preciso derrubar o mito de que radiojornalismo não tinha audiência e não se sustentava economicamente. Os modelos de ancoragem no rádio eram condicionados historicamente e, toda vez que se propunha um projeto, era comum a volta ao passado, ao saudosismo, à busca de grandes nomes que podiam servir de exemplo para o presente.

Novas propostas sempre encontram fortes resistências, sobretudo de gestores que se acostumaram com "o meio artístico". Ainda hoje há uma forte contaminação dessa visão no jornalismo esportivo, que não conseguiu se libertar totalmente do conceito de *show*. A ancoragem que se propunha para a CBN era baseada no conceito de ruptura com o passado e diferenciação com o que existia no mercado brasileiro.

O rádio disputava com a televisão e as novas mídias mais do que um espaço para a conquista de ouvintes e anunciantes. Disputava sua própria sobrevivência como meio de comunicação de massa. É comum se ouvir que hoje só existe o que é mostrado pela televisão, como forma de expressar a importância que esse veículo tomou nos dias atuais e como monopoliza a preferência da opinião pública.

Em relação ao futuro, a discussão é se a comunicação vai ou não ser associada à imagem. Nos filmes e nos livros de ficção científica, toda a comunicação é feita por meio de aparelhos que apresentam a imagem dos interlocutores. O celular é o exemplo mais comum disso. Contudo, o entendimento dos caminhos do rádio e do radiojornalismo só era possível dentro das transformações econômicas e geopolíticas que ocorriam no mundo na virada do século XX para o XXI. O fenômeno econômico de maior destaque era o da globalização, a expressão material da nova economia apoiada em transformações que atravessam nações e continentes e proporcionam uma geopolítica global. E uma realidade emergente perfeitamente perceptível para ação da economia internacional e da ação do Estado.

Nesse ambiente preponderavam as empresas transnacionais e multinacionais que sufocavam as empresas ainda confinadas em um determinado espaço nacional. Não basta dominar uma certa atividade em um só país, ou dois, ou três, caminha-se rapidamente para a fusão em escala mundial, restando poucas megaempresas que dominavam a produção e/ou a comercialização de determinados bens ou serviços. Isso é perfeitamente visível nas indústrias automobilística, química, aeronáutica, de chocolates, leite em pó e nas consultorias e auditorias.

O mundo já sentia saudades das sete irmãs do petróleo... É possível que em um futuro próximo sejam reduzidas a duas ou três. Essa conformação econômica abalou profundamente a organização social, uma vez que se propagou no mundo cavalgando nos avanços tecnológicos cada vez mais rápidos e intensos da comunicação. Essa facilidade de contatos de qualquer parte do mundo para qualquer outra parte do mundo mudou a face da humanidade e abriu os mercados para a especulação e uma rápida circulação de capitais como nunca se vira antes.

Não há, pelo menos atualmente, qualquer barreira que impeça a chegada do globalismo com seu conteúdo político e social. Essas megaempresas e os organismos mundiais econômicos e políticos são as novas estruturas de poder. Desse conjunto fazem parte as empresas de comunicação. Hoje elas vivem um processo de fusão da mesma forma que outros setores da economia e se constituem em gigantes que controlam a veiculação de notícias e entretenimento. Não há como fugir disso. Essa era a realidade do mundo competitivo em que iria atuar uma rádio all news, um projeto inédito no Brasil, uma vez que a concorrência insistia no modelo de música e notícia.

Por estar o mundo tão interligado, nenhum veículo de comunicação escapou da influência da cobertura que a rede de TV americana CNN fez da Guerra do Iraque, no início da década de 1990. Era comum as TVs mostrarem cenas da guerra e repórteres e darem crédito à CNN. Muita gente só soube de sua existência naquele momento. Uma boa parte do noticiário não tinha imagem. Eram mapas da região com a foto do jornalista e o som de suas notícias. Alguém pode pensar: isso não é televisão! Não tem imagem!

O repórter Peter Arnett, quando veio ao Brasil participar do programa Roda Viva, da TV Cultura, me confirmou que tinha a exata noção de que fazia rádio no dia em que a guerra começou, uma vez que o hotel onde se hospedava em Bagdá passou por um blecaute e ele narrou o que via. Na tela, uma escuridão só. De certa forma, esse exemplo mostrou que, assim como o rádio estava na TV, nada impedia que ele recebesse influências da TV, o que de fato ocorreu.

No novo modelo adotou-se o fim da verborragia radiofônica, o fim dos poetas do microfone, a encheção de lingüiça, enfim, era preciso economizar palavras como fazia a TV e o tempo de uma reportagem ou entrevista deveria ser de acordo com o seu conteúdo. Entrevistas ou reportagens especiais deveriam ser avaliadas pelo conteúdo e não pela sua duração, uma vez que havia no rádio o velho vício de que quanto mais comprida, mais importante, mais "especial".

Outro obstáculo a ser vencido era o conceito de que o âncora é um opinador por excelência, um fazedor de cabeças, um condutor de povos, um formador de opinião. Voltando à CNN, o âncora Bernard Shaw comentou que achava um absurdo o estilo dos âncoras sul-americanos, que comentavam apaixonadamente as notícias, emitiam sistematicamente opinião sobre tudo – e que ele não considerava isso jornalismo. E não era. O âncora era antes de tudo um repórter, apurador, entrevistador, editor, apresentador, enfim, participava do processo de busca, verificação e divulgação das notícias. Entregava a notícia para o público, divulgava opiniões dos entrevistados e comentaristas, provocava debates e instigava o público a desenvolver espírito crítico e a formar a própria opinião sobre os assuntos. Não era possível trabalhar para esse público sem conhecê-lo, e o público da CBN, desde o início do projeto, sempre foi um só: o executivo, o gerente, o integrante das classes A e B com 30 anos, o homem e a mulher que lutam pela ascensão social. As notícias servem tanto como ferramenta de sucesso como de formação de conteúdo e reflexão. Esse alvo principal não queria que lhe fizessem a cabeça, nem lhe dissessem o que estava certo ou errado. Ele era dono de seu próprio destino e de suas escolhas, o noticiário era o embasamento de que precisava. Sem isso não seria possível ser um âncora de sucesso na CBN.

A nova ancoragem seguia as propostas constantes do projeto original, que foi modificado à medida que se aprofundavam as discussões com os jornalistas José Roberto Marinho, Jorge Guilherme, Celso Freitas, Zallo Comucci e outros. Uma das experiências exitosas foi a de deslocar o estúdio para acontecimentos fora da rádio, que proporcionassem oportunidades de o público-alvo acompanhar a edição e o programa no ar. Assim, a experiência-modelo foi no encontro publicitário Maxmídia, em 1996, em um hotel, com a montagem de um estúdio envidraçado. Foi a primeira emissão do Jornal da CBN nessa nova forma, com a presença de convidados de grande visibilidade, entre eles o deputado Delfim Netto, para comentar os fatos econômicos mais importantes do dia.

O resultado é que se formou em frente ao estúdio um aglomerado de publicitários que participavam do evento. Daí em diante, essa atividade se multiplicou e ajudou muito na propagação da marca em eventos de alta concentração de público-alvo.

A ancoragem estava diretamente ligada à edição do programa, uma vez que a programação era basicamente um jornal sucedendo o outro. A responsabilidade do âncora era a mesma do editor-chefe, respondendo pela qualidade editorial e ética do produto, com produção própria e intimamente articulado com a redação, que produzia matérias jornalísticas para todos os programas. A cobertura ao vivo era sempre destinada ao programa que estivesse no ar. Outro desafio era a continuidade, uma vez que uma pauta poderia não se esgotar em um programa e os âncoras tinham o compromisso de passar para o sucessor, e este de dar prosseguimento ao assunto até que a pauta estivesse completa. Daí se seguia para a edição de reportagem, que formatava uma matéria completa com base no trabalho de vários âncoras.

Sem colaboração, espírito de equipe, divisão de trabalho, compartilhamento de erros e acertos, o novo modelo não teria como avançar e se solidificar. Chegou-se ao consenso de que jornalismo é uma disciplina de verificação; portanto, o primeiro passo em busca da credibilidade, reconhecimento por parte do público-alvo e ação ética era a checagem, o abandono da postura de ser o primeiro a dar a notícia. Morte só com atestado de óbito. A acurácia é o primeiro pré-requisito dessa trilha.

Uma das faces da realidade política global eram a formação e a atuação das corporações mundiais de mídia. Elas não só agilizavam a difusão de notícias no mundo como elegiam os temas e assuntos e editavam o material jornalístico que ia para o ar. Dessa forma, o que estava sendo noticiado não mais necessariamente atendia a uma exigência de uma região, ou de um país, ou de um continente. Essa edição jornalística globalizada elegia os temas que o mundo iria saber e discutir, influenciando decisivamente na formação de uma opinião pública mundial.

Assim, um massacre em Kosovo, noticiado na mídia mundial, era alvo do repúdio universal pela morte de 47 inocentes em uma ação da aviação da Otan. Contudo, morria semanalmente mais do que isso em um único fim de semana em São Paulo e no Rio – e no entanto não havia a mesma repugnância universal. Eram as mesmas mortes. Só que uma estava no noticiário global; a outra, não. Um massacre estava associado ao relacionamento de grupos que controlavam a ordem internacional; o outro, restrito à miséria e às desigualdades de uma determinada região. Aos países periféricos do globalismo restava reproduzir o que a mídia internacional decidia ser notícia ou aproveitar as brechas que ainda sobravam para veicular notícias consideradas relevantes local, regional e nacionalmente.

A ação da mídia não queria dizer que o ouvinte, leitor, telespectador, internauta, audiência ou público eram inermes. A consciência universal era moldada pela interferência da mídia industrialmente organizada. Não se tratava do complexo do Big Brother, mas chegou-se bem perto disso. O noticiário condicionava corações e mentes em todos os continentes. Estava na mão da mídia, ainda, a última direção do consumo, do divertimento, da política e da religião, com suas promessas de reduzir a ansiedade. E a tecnologia estava lá, cada vez mais disponível para que esse objetivo fosse atingido.

Nessa realidade histórica, a competição desenfreada provocou a difusão de programas em que se confundia o entretenimento com o jornalismo e os mais desavisados acreditaram quando muitos programas, alguns populares de grande audiência, tinham "jornalismo". O apelo de se partir para o *show*nalismo" e a espetacularização da notícia era grande e, em algumas empresas, tinha "o maior apoio" do departamento de vendas. Isso passou longe da CBN, que desde a sua constituição deixou bem claro que o editorial não estava à venda, que a veiculação publicitária estava associada a uma marca de credibilidade e audiência. O jornalista não podia vender publicidade e publicitário não podia editar jornal. Cada um em sua área. Os jornalistas estariam empenhados em desenvolver sua atividade da melhor maneira possível e o resultado seria a conquista de bons anunciantes.

Como em qualquer outro momento da história da humanidade, a comunicação é um elemento básico de qualquer sociedade e sempre influiu em seus aspectos culturais, políticos e econômicos. Porém, com a internacionalização de seu controle e a tecnologia capaz de vencer cada vez mais barreiras, assumiu uma condição de estrutura de poder como nunca antes foi constatado. Indaga-se até onde isso pode chegar.

As multinacionais de comunicação são as que mais colaboram para o enfraquecimento dos estados nacionais, formados na modernidade e consolidados na contemporaneidade. São elas que mais influenciam a opinião pública, pois o seu negócio é a difusão de idéias, notícias e entretenimento. Elas vivem da rentabilidade desse tipo de negócio e da reprodução da ideologia de que são portadoras. Reproduzem os objetivos e as práticas das nações globais, ou centrais, e consolidam seus conceitos.

No dizer de Octavio Ianni, a mídia forma e conforma ou influencia decisivamente mentes e corações de muitos, da grande maioria, em todo o mundo, compreendendo tribos, nações e nacionalidades ou continentes, ilhas e arquipélagos. A sustentação do negócio dessas empresas é a verba publicitária originada da venda de produtos de grande consumo, também globalizados, cujas marcas valem bilhões de dólares, mais do que o capital físico dessas empresas. Por isso elas gastam muito mais no *marketing* veiculado globalmente do que com a produção e a comercialização dos produtos.

O poder do anunciante global aumentou na medida em que o Estado retirou suas verbas com o fim da Guerra Fria na década de 1990, quando o embate ideológico era mais visível. O embate hoje se dá pela captura dessas verbas privadas, pela conquista dos mercados de consumo e dos mercados globais. A publicidade se confunde com outras manifestações culturais, como religião e política. No mundo global, nem mesmo Deus dispensa o auxílio do *marketing*. Nessa nova conformação global, a sobrevivência da liberdade de expressão e a garantia de que setores minoritários vão ter acesso à mídia vão ser assegurados pela Internet e pelo rádio. Claro que em escala global eles também estão integrados como canais de difusão das megaempresas de comunicação. Mas esses dois veículos abrem a possibilidade de explorar as contradições internas do sistema global por brechas que possui, da capilaridade e da facilidade técnica, o que possibilita seu acesso a esses grupos sociais.

Por intermédio da Internet permanentemente aberta na casa de todos, da TV a cabo ou via linha telefônica, é possível a qualquer grupo, ou mesmo individualmente, manter um programa de difusão de idéias, seja por meio de páginas, som ou imagem. A rádio comunitária é o outro exemplo dessa preservação da democracia, do contraditório, da resistência ao globalizado e da difusão de idéias não oficiais.

Aos âncoras da CBN cabia entender o que se passava no mundo das comunicações e as rápidas transformações, para que pudessem se adequar como atores e concorrentes de outras mídias. Assim, foi desenvolvido um programa de imersão no mundo da Internet, para que fosse entendido como uma ferramenta de propagação de uma mensagem auditiva, eletrônica, a distância, que é a concepção teórica do rádio. De outro lado, era preciso entender o surgimento das rádios comunitárias, outra expressão do início dos anos 1990.

No bojo da conquista dos grandes espaços pela mídia globalizada estão os enclaves para o desenvolvimento das rádios livres, portadoras de ideais e desejos das comunidades. Ainda que haja obstruções de ordem legal, essas rádios iriam representar cada vez mais a diversidade de informação e entretenimento. Os equipamentos necessários estavam ao alcance de qualquer comunidade e as FMs cortaram quarteirões, bairros, cidades e o campo. Não dependiam das verbas publicitárias para sobreviver e o responsável pela montagem podia ser o apresentador, âncora, comunicador, programador, redator, sonoplasta e incentivador da rádio. Como impedir que ela se desenvolvesse? Portanto, as comunitárias, e não as piratas, não se constituíam nem se constituem em concorrentes das rádios comerciais, como alguns, de forma míope, enxergam.

Era preciso entender que o rádio, ainda que representasse, no conceito da megaempresa, um negócio menor, uma vez que mundialmente conseguia arrecadar menos de 5% do bolo publicitário – essa era a medida usada pelos gestores desses grupos –, concentrava quantidade e qualidade valiosas de ouvintes. Sofreu, também, uma segmentação rápida e as emissoras foram mais identificadas pelo conteúdo de suas programações do que pelo próprio nome comercial. Dentre elas as rádios que se dedicam total ou parcialmente ao jornalismo. Considere-se aqui a cobertura de todos os assuntos com exceção do futebol, pela inexistência de uma cobertura jornalística na época da criação da CBN. Os esportes, e sobretudo o futebol, sobreviveram no rádio como entretenimento ou *show*, e por isso não estão comprometidos com a notícia nem com os preceitos éticos que regem o jornalismo. Tinham o seu mérito como catalisadores de audiência e arrecadadores de verbas publicitárias. Por isso, quando da redação final do projeto da Central Brasileira de Notícias, foi proposto que se criasse uma editoria de esportes, ligada ao jornalismo como qualquer outra. O projeto CBN incluiu em seu noticiário all news as informações de esporte, incluindo as de futebol, sem as velhas e cansadas jornadas esportivas em que locutores jovens imitam o modelo concebido na década de 1950. Para isso, os âncoras foram treinados para tratar o assunto com o mesmo rigor de outras áreas e editar o material seguindo os mesmos critérios jornalísticos de outras áreas.

De uma forma geral, as rádios, pela sua tibieza econômica e pelo desejo de suas direções, editorializavam o noticiário e o ouvinte tinha dificuldade de separar o que era notícia do que era opinativo, daí a inovação do projeto CBN. Por isso, mereceram um estudo de conteúdo aprofundado para se saber qual era o espectro que representam e quais os parâmetros jornalísticos que utilizavam. Essa foi uma pedra de toque da constituição da CBN, que nasceu com a maioridade de seu espaço dedicado ao jornalismo informativo, de preferência ao vivo, com reportagens calcadas em entrevistas com os personagens sociais, para que os ouvintes avaliassem por eles mesmos os assuntos tratados e representassem um avanço no noticiário. Reportagens eram e são seguidas do bordão "Agora o outro lado", dando espaço para o contraditório e o debate. O jornalismo interpretativo desenvolvido pelos âncoras amarra, explica e conduz o desenvolvimento do assunto. Raramente opinavam e opinam explicitamente. A função de opinar cabe aos comentaristas, que mantêm colunas que vão da política ao esporte, da economia ao mercado musical. Tudo isso com a existência da parede invisível que separa a redação do departamento comercial da empresa. Nesse sistema não há mais lugar para o locutor-apresentador de notícias apuradas pela redação, a sua função passa a ser divulgador de serviços, como hora, temperatura, notas etc. No projeto ficou muito clara a função de um e de outro nos programas.

A nova organização industrial das redações, que alicerçou o conceito de multifunção e as necessidades de se respeitarem os orçamentos, obrigou todos os jornalistas de rádio a falar. Do pauteiro ao chefe de reportagem, todos precisavam estar habilitados a apurar uma notícia e dizê-la no ar. O projeto CBN evoluiu para uma segmentação vertical e horizontal. Ao mesmo tempo em que fechou sua programação em notícia por intermédio de um radiojornal, com um programa jornalístico sucedendo ao outro, procurou como *target* o estrato social dos segmentos A e B da população, ou o gerente, como se diz internamente. Este foi eleito como público-alvo prioritário, 24 horas, sem mudanças ao longo do dia – ao contrário das emissoras que buscam a dona de casa e o aficionado de futebol que ouvem rádio "fora da hora da notícia", geralmente no início da manhã e no fim da tarde, respectivamente.

O conceito do rádio em rede nasceu inicialmente da ligação São Paulo e Rio de Janeiro, e depois se estendeu para Brasília, Belo Horizonte e Recife, quando o Sistema Globo de Rádio trocou a programação popular de suas emissoras Rádio Globo pelo jornalismo da CBN, numa demonstração de confiança no sucesso de um modelo só de notícias. Outras emissoras independentes de cidades médias e grandes se associaram posteriormente, cobrindo boa parte do território nacional e, a partir daí, os âncoras se consolidaram como jornalistas nacionais, capazes de olhar para o Brasil e selecionar os assuntos de interesse público de toda a comunidade nacional.

Uma das inovações do projeto CBN foi a não ocultação da concorrência. Todas as fontes de notícias foram e são citadas enfaticamente, pertençam elas ou não aos veículos das Organizações Globo, em muitos casos, com a nomeação do autor da matéria. Mesmo as emissoras concorrentes sempre tiveram seus nomes divulgados como autoras de reportagens ou de notícias, e não raro seus profissionais entrevistados. O maior reconhecimento foi o prêmio Líbero Badaró, da revista Imprensa, outorgado por uma reportagem feita em cadeia, pela Rádio Bandeirantes e pela CBN, conduzida pelo jornalista José Paulo de Andrade e por mim.

Na CBN optou-se por não simular o ao vivo quando a reportagem está gravada e banir o "bom-dia" ou "boa-tarde" nas reportagens gravadas para dar impressão ao ouvinte de que a matéria era ao vivo, mesmo sabendo que essa expressão confere aos veículos de comunicação credibilidade, a ponto de ser repetida sistematicamente no rádio e ganhar caracteres na TV. A CBN não guardou e não guarda notícia. Seria uma incoerência, uma vez que é uma all news destinada sempre ao mesmo público-alvo, reservar notícia para um horário considerado de maior audiência. Corre-se o risco de ser furado e dividir os ouvintes entre os de primeira e de segunda classe. Ao terminar um jornal e começar outro, não se pretende que o ouvinte desligue o rádio porque um jornalista foi substituído por outro. Esse conceito foi inspirado na passagem que os DJs de FMs jovens fazem e me levou a criar, juntamente com o jornalista Miguel Dias, uma passagem com o nome de Ponto e Contraponto, com o objetivo de debater os assuntos polêmicos do dia durante alguns minutos e simbolizar a entrega dos ouvintes que acompanhavam um programa para outro que continuasse informando. Essa fórmula se pretendeu ver implantada em outros horários.

A CBN São Paulo foi a alavanca para a quebra do paradigma que FM foi destinada à veiculação de músicas. Com a entrada da CBN na FM, em 1995, iniciou-se uma nova etapa na conquista do mercado e no enfrentamento da concorrência com as outras emissoras que ficaram confinadas à AM. Várias vezes a CBN FM esteve para perder a freqüência e também ficar confinada à AM. Prevaleceram o bom senso e os argumentos de que o novo som seria um diferencial em relação às demais, alcançava regiões da cidade até então inatingíveis e a emissora estaria sozinha, sem nenhuma concorrente.

A ancoragem ajudou a derrubar outro conceito: o de substituir o jornal falado pelo programa de radiojornalismo com a troca dos conceitos próprios do jornalismo impresso e até então aplicados nas emissoras jornalísticas. Isso fez com que a própria redação, desenhada de acordo com a funcionalidade de uma redação de jornal, também fosse redesenhada. Os textos radiofônicos da CBN se aproximaram dos da televisão, por isso deixaram de ser manchetados e passaram a ser corridos, como manda o bom senso. Essa não foi a única contribuição da forma de se fazer jornalismo desenvolvido pela TV e utilizada pela CBN. Nesses anos de existência, as influências mudaram de sinal. No início da TV o jornalismo veio do rádio. Nos anos 1990 o fluxo é o inverso, e a forma de edição, a construção do off das reportagens e a sobriedade dos apresentadores da TV foram assimiladas no projeto da CBN.

O desafio de uma nova ancoragem deu uma contribuição significativa para o sucesso do projeto CBN e para o meio de uma forma geral, uma vez que provocou mudanças na concorrência e a qualidade do conteúdo jornalístico melhorou significativamente. O jornalismo tem como norte a noção de que a única coisa permanente é o impermanente, e os âncoras não podem se esquecer disso jamais se quiserem acompanhar a evolução da sociedade. É preciso mudar sempre e avançar sem olhar pelo retrovisor.

UMA "LUZ" NO APAGÃO DE 55 HORAS

Marca registrada do rádio, a prestação de serviço foi a tônica da cobertura da CBN Florianópolis durante as 55 horas em que a capital catarinense ficou sem energia elétrica nos dias 29 a 31 de outubro de 2003. Da tarde de quarta-feira, quando ocorreu uma explosão na Ponte Colombo Salles, principal ligação entre a ilha e o continente, até o restabelecimento da energia elétrica, na noite de sexta-feira, a emissora redobrou esforços para levar informação aos ouvintes privados de TV e Internet. "O rádio de pilha ou do carro foi o instrumento de orientação aos moradores, o elo entre os responsáveis pelo conserto e a população", conta o repórter Renato Igor, que participou da ampla cobertura nos três dias. Sem energia elétrica e com uma das duas pontes que ligam a ilha ao continente fechada, cerca de trezentos mil moradores se viram mergulhados no caos e a capital teve decretado estado de emergência. Pela cobertura do apagão, a CBN Florianópolis obteve o reconhecimento da população e das autoridades – a emissora foi homenageada pela Câmara Municipal, e a equipe, coordenada pelo jornalista Carlos Alberto Ferreira, ganhou, entre outros prêmios, o Trabalho do Ano no 1º Prêmio RBS de Jornalismo.

Uma aula com o "Fato em foco"

Na CBN, desde sua criação, o âncora Roberto Nonato, que apresenta o "Jornal da CBN Segunda Edição", recebe e lê diariamente dezenas de *e-mails* de ouvintes com elogios e críticas, sugestões de pautas e entrevistas, ou apenas comentários sobre determinados assuntos. E foi a partir de *e-mails* que sugeriam o aprofundamento de alguns temas que Nonato teve a idéia de criar, em 2003, o programa "Fato em foco", que vai ao ar às 20h30 de sábado, com duração de meia hora. "No dia-a-dia, com a atenção voltada mais para os acontecimentos factuais, nem sempre há tempo para o aprofundamento dos assuntos. Daí a idéia de selecionar temas atuais e buscar especialistas para discuti-los mais detalhadamente", explica Nonato. Os temas abordados são os mais variados – política, economia, ciência, cultura. "A idéia é ser bem didático, ajudar o ouvinte a compreender aspectos tratados superficialmente ao longo da semana." Foi por sugestão de ouvinte, por exemplo, que Nonato fez com especialistas uma radiografia da dívida externa brasileira: quando começou, quanto cresceu, os motivos de seu aumento e por aí afora. Se o PIB foi assunto da semana, o "Fato em foco" busca dissecar o tema numa espécie de aula de trinta minutos acessível a todos. Para Nonato, o *e-mail* é uma ferramenta essencial na rotina dos âncoras da CBN, uma espécie de termômetro que mede o interesse dos ouvintes.

NO MEIO DO TIROTEIO, AO VIVO

Acostumado a fazer há 15 anos a cobertura jornalística de confrontos entre policiais e bandidos no Rio de Janeiro, o repórter Robson Aldir chegou ao pé do Morro dos Macacos, no bairro de Vila Isabel, Zona Norte da cidade, no fim de tarde do dia 5 de novembro de 2004, quando a Polícia Militar já havia terminado a ocupação da favela e os quarenta policiais estavam no asfalto. A situação parecia tranqüila. Mas enquanto o repórter entrevistava ao vivo o comandante da operação, que fazia um balanço da incursão no morro, os bandidos iniciaram o contra-ataque: tiros de todos os lados, e de armamento pesado, eram disparados em direção aos policiais que aguardavam na principal avenida do bairro a hora de voltar para o batalhão. "De repente, me vi no meio do tiroteio. Joguei-me debaixo do carro de reportagem da rádio e tentei narrar o que estava acontecendo. Mas o barulho incessante dos tiros, por si só, dizia tudo, dava uma idéia da gravidade da situação", relembra Aldir, que na primeira oportunidade saiu da linha-de-tiro e buscou refúgio num lugar mais seguro. Todos os repórteres da CBN são orientados a não se expor ao perigo nem correr risco de vida para fazer uma reportagem – primeiro devem garantir a integridade física, se proteger, e só depois, se possível, obter a informação. Isso ajuda, embora não elimine o perigo. Aldir sabe disso.

Os ingredientes de uma receita que deu certo

Mariza Tavares
DIRETORA EXECUTIVA DA CBN

"CBN, a rádio que toca notícia" – um *slogan* que traduzia à perfeição um conceito até então inexistente no Brasil. Em 1º de outubro de 1991, entrava no ar a Central Brasileira de Notícias, a CBN, primeira emissora all news do país. No mínimo um lance de audácia, num mercado em que o rádio sempre esteve associado a música e entretenimento. ❖ As primeiras capitais a receberem notícias sem interrupção foram o Rio de Janeiro, onde o Sistema Globo de Rádio acabou com a Eldorado para dar lugar à CBN, e São Paulo, que tirou do ar a Excelsior. Em seguida vieram Brasília, Belo Horizonte e Recife. ❖ Na época, a grade da programação já era semelhante à que existe hoje. Havia um jornal pela manhã, com a duração de três horas; outro na hora do almoço; um terceiro à tarde; e um quarto depois da Voz do Brasil – a diferença é que todos tinham o nome de Jornal da CBN, em várias edições. Como inicialmente o objetivo era estruturar o projeto apenas em São Paulo e no Rio de Janeiro, não havia uma proposta de rede para o país todo; por isso, havia programas locais de manhã e à tarde.

Já no início de sua trajetória, a CBN esteve presente na conferência Rio-92, com um estúdio montado dentro do Riocentro, onde se realizava o evento. Ainda no ano de 1992, a CBN acompanhou momentos decisivos da política do país, transmitindo os depoimentos na CPI de Paulo César Farias – como o do motorista Eriberto França, uma das principais testemunhas do caso que resultou no *impeachment* do presidente Fernando Collor.

No entanto, o reconhecimento da marca demorou. Profissionais que estão na emissora desde a sua criação, como Heródoto Barbeiro, âncora do Jornal da CBN – carro-chefe da emissora das 6h às 9h30 –, lembram que, nos primeiros anos, tanto a audiência quanto o retorno publicitário eram praticamente nulos. Direcionada aos ouvintes das classes A e B acima de trinta anos e economicamente ativos, a maior preocupação da CBN era ser uma emissora plural, que desse espaço para as diversas vozes da sociedade. Esse compromisso editorial pavimentou a credibilidade da emissora e a CBN criou um público fiel de formadores de opinião, uma vez que conceitos como isenção e pluralidade eram coisas praticamente inéditas para o rádio, na época. Como desdobramento, ganhou também anunciantes qualificados. Prova disso foi ter sido escolhida durante seis anos consecutivos (de 2000 a 2005), desde a criação da disputa, a emissora de rádio de maior prestígio do país. A Troiano Consultoria de Marca realizava a pesquisa, sob encomenda da revista Meio & Mensagem, com profissionais do mercado da propaganda. Por último, porém não menos importante, a CBN respondia por cerca de 40% do faturamento do SGR, quebrando o paradigma de que rádio tem de ser entretenimento e tocar música.

Ao longo dos anos, para dinamizar a grade da CBN, foram contratados comentaristas como Miriam Leitão, Franklin Martins, Juca Kfouri, Carlos Alberto Sardenberg, Arnaldo Jabor, Carlos Heitor Cony, Artur Xexéo e Gilberto Dimenstein. O objetivo era ir além da notícia, com análises e interpretações dos fatos que fossem percebidos pelo ouvinte como um diferencial. Cerca de duzentos profissionais, entre jornalistas, âncoras e comentaristas, integram atualmente a CBN – incluindo o departamento de esportes. Na verdade, o jornalismo da CBN praticamente se confunde com o de todo o Sistema Globo de Rádio, uma vez que o conteúdo editorial produzido por repórteres e redatores é utilizado em todas as emissoras do grupo.

Além do reforço de nomes com cacife, entre 1998 e 2001 a CBN foi exposta na mídia em sucessivas campanhas de *marketing*, quase todas criadas pela DPZ (o nome da agência é formado pelas iniciais de seus fundadores: Dualibi, Petit e Zaragoza). A de maior longevidade e retenção na memória do público foi uma série para a televisão na qual quem ouvia CBN sempre estava mais bem informado: num dos filmes, sentado no banco de trás do carro, um homem com aparência de empresário lia o jornal e, enquanto comentava as principais notícias – uma greve, por exemplo –, era zelosamente corrigido pelo motorista, que acabara de ouvir, na CBN, o fim da paralisação.

Informação correta, isenta e, sempre que possível, em tempo real – e aqui é preciso uma pausa para explicar que o tempo real, tão valorizado atualmente, tendo se tornado até o lema de muitos *sites* de notícia, é também um objetivo na CBN, desde que a informação tenha sido cuidadosamente checada. Se não houver confirmação da notícia, ela não vai ao ar.

Feito o "parêntese", vale retomar o conceito do radiojornalismo praticado na CBN: informação correta, isenta, com espaço para a pluralidade e muita análise crítica interpretando o que está por trás dos fatos. Parece óbvio ter esse objetivo, que deveria ser compartilhado por todos os veículos de comunicação, mas trata-se de um diferencial que, ao longo dos anos, entronizou a CBN num nicho que lhe garantiu o reconhecimento do público e dificultou que esse modelo fosse copiado.

Trocando em miúdos: vivemos numa sociedade de informação que soterra os indivíduos com dados. O acesso ao conhecimento é global (claro que a exclusão digital existe, mas trata-se de uma outra discussão) e ocorre em tempo real. Apenas um exemplo para dar a dimensão desse quadro: em outubro de 2002, quem fizesse uma busca no Google para a palavra diabetes encontraria 4.110.000 *sites*; em agosto de 2004, o resultado seria de 13.900.000 *sites*; em fevereiro de 2006, esse número era de 85 milhões! Diariamente são criadas na World Wide Web uma média de 1,5 milhão de páginas cuja credibilidade já não pode mais ser checada pelos métodos convencionais porque cada uma delas tomaria muitas horas para ser conferida. E o que isso significa? E o que a CBN tem a ver com toda essa avalanche de *bytes* inundando as nossas vidas?

Significa que a era da tecnologia da informação também gerou um problema novo para os usuários — sejam eles ouvintes, leitores ou telespectadores: são muitas as fontes, mas quais são confiáveis? Com quais é possível estabelecer uma relação de confiança? Quais são capazes de se tornar ferramentas para entender a cidade, o país, o mundo? Quais servirão para formar opiniões e tomar decisões? Essa é a relação que a CBN desenvolveu com seus ouvintes ao longo dos anos. São 24 horas de notícias que os repórteres trazem em suas apurações, complementadas por entrevistas que os âncoras fazem com especialistas e pelas análises dos comentaristas, que interpretam os fatos e apontam seus desdobramentos. Com base neste tripé — reportagens, entrevistas e análises dos comentaristas —, a notícia deixa de ser apenas um dado perdido na montanha de informações com que o usuário é bombardeado para se tornar realmente uma ferramenta de entendimento e decisão.

A operação diária dessa rede é complexa. Com emissoras próprias nas praças de Rio de Janeiro, São Paulo, Brasília e Belo Horizonte, a CBN tem uma rede de vinte e uma afiliadas, num total de 25 cidades cobertas por sua programação. A cabeça de rede, local de onde é gerada a programação, é basicamente São Paulo. O Rio só ancora a rede durante a madrugada e no comecinho da manhã, das 24h às 6h, durante o CBN Madrugada e o Primeiras Notícias. Entre 6h e 9h30, vai ao ar o Jornal da CBN, carro-chefe da emissora, uma vez que a manhã é o horário nobre do veículo; das 9h30 às 12h, cada praça gera seu próprio programa local, que leva o nome da cidade (CBN Rio, CBN São Paulo etc.); das 12h às 14h, é a vez do CBN Brasil; das 14h às 17h, entra no ar o CBN Total; das 17h às 19h, Jornal da CBN 2ª Edição; das 20h às 21h, CBN Esporte Clube; e, das 21h às 24h, CBN Noite Total.

Cada programa tem sua própria personalidade. O Jornal da CBN debate as principais notícias do dia. Sua produção começa no dia anterior, quando boa parte das entrevistas é agendada. O CBN Brasil tem um perfil voltado para assuntos econômicos, ao passo que o CBN Total tem formato mais "revistizado", abordando saúde e comportamento. O Jornal da CBN 2ª Edição procura fazer um resumo dos assuntos mais relevantes do dia, ao passo que o CBN Noite Total é focado em cultura. Em todos, com exceção da madrugada, a cada meia hora vai ao ar o Repórter CBN, com a duração de dois minutos, trazendo quatro ou cinco notícias entre as mais relevantes daquele momento.

O ritmo é vertiginoso. Há uma demanda contínua por bons assuntos, uma vez que cada programa é alimentado não só pelas reportagens produzidas pelos repórteres, mas também por entrevistas – pelo menos uma a cada meia hora – que mantenham o interesse do ouvinte. Além disso, os comentaristas entram, ao vivo ou gravados, ao longo do dia. Na prática, é como se houvesse duas redações numa só. A "primeira" redação é composta pelos repórteres, editores e chefes de reportagem, com uma pauta abrangendo os principais assuntos políticos, econômicos, esportivos e de cidade. Essa é a equipe que vai para a rua, entrevista autoridades, entra ao vivo do local, dá informes de trânsito e, na volta, grava as matérias que foram produzidas para serem veiculadas em outros programas. A "segunda" redação é composta pelos âncoras dos programas e seus produtores. Essa outra equipe vai buscar os entrevistados que podem ir além das notícias que estão pipocando ao longo do dia. Um exemplo simples: a votação do reajuste do salário mínimo. O repórter de Brasília estará no Congresso fazendo a cobertura, entrevistando os líderes. Na redação de São Paulo, âncora e produtor dos programas do dia buscarão entrevistados para esmiuçar o tema: um economista para mostrar o impacto do reajuste; o ministro responsável pela pasta; um líder sindical e assim por diante. Paralelamente, os comentaristas de economia e política também enriquecerão a discussão, buscando outros pontos de análise. O ouvinte não saberá apenas qual foi o reajuste e, sim, quais serão os desdobramentos, como o impacto na economia do país; os acordos políticos que estão por trás; a posição dos diversos atores da sociedade em relação ao fato.

Cada praça contribui para a montagem desse mosaico. É claro que Brasília, Rio e São Paulo são fundamentais para o fluxo de noticiário, mas as afiliadas têm papel relevante nessa produção. E não se pode perder de vista a missão de cada emissora dentro da rede: fazer a cobertura da própria cidade. Um dos aspectos mais fascinantes do rádio é justamente a proximidade com o ouvinte, o que torna crucial que ele não se afaste de sua comunidade, do que se convencionou chamar de "quintal" das pessoas. Como resolver isso numa rede all news, que privilegia política e economia? A CBN atende a essa demanda por meio de inserções de noticiário local ao longo do dia – conhecidas no jargão das emissoras como breaks. No break, cada emissora entra com noticiário e comerciais locais. Essas saídas da rede têm duração diferente ao longo do dia. Pela manhã, durante o Jornal da CBN, os breaks são de cinco minutos, uma vez que há mais prestação de serviços e volume de anúncios no horário nobre do rádio; à tarde, eles passam para três minutos, caindo a um minuto durante a madrugada. Em cada uma dessas "janelinhas", a rede deixa de existir e vale a notícia da cidade, da região. O programa local de cada praça, entre 9h30 e 12h, é a maior janela para o debate dos temas que dizem respeito à cidade. Portanto, todas as redações acumulam os papéis de produzir conteúdo para a rede e também para o local.

Do local para o internacional. Para suprir a necessidade de uma cobertura dos assuntos internacionais, a CBN desenvolveu uma parceria com a BBC Brasil. Desde 2002, a BBC, a maior redação brasileira fora do país – são cerca de trinta jornalistas baseados em Londres, mas também em Washington, Miami e Cairo –, abastece a rede com material exclusivo para os ouvintes. Ao longo do dia, a BBC Brasil produz cinco edições do "Dois Minutos pelo Mundo" – informes com a estrutura bem semelhante à do Repórter CBN, com as principais notícias internacionais. Além disso, aos sábados e domingos, a BBC Brasil produz o "Panorama BBC", que enriquece o programa "Revista CBN" – este veiculado das 12h às 15h e dividido por editorias: política, economia, internacional, ciência e vida, comportamento, cultura e esportes.

As duas principais praças da rede CBN são Rio de Janeiro e São Paulo. Apesar de ser a líder entre formadores de opinião, a CBN carioca nunca foi uma campeã de audiência – o que era até de esperar, porque seu formato era bem mais sofisticado que o padrão vigente no rádio. No Rio de Janeiro, faltava robustez nos números – o Ibope médio da emissora era de 25 mil ouvintes por minuto –, mas essa situação começou a mudar em 4 de julho de 2005, quando a emissora passou a operar também em FM (a freqüência da Globo FM foi transferida para a emissora all news). O perfil do público é bem homogêneo: 63% dos ouvintes estão nas classes A e B e o pico de audiência dobra o número de ouvintes entre 9h e 10h, durante a semana – um bom desempenho que se mantém ao longo da manhã, no programa local CBN Rio, ancorado pelo jornalista Sidney Rezende.

Em São Paulo, a CBN também começara a operar apenas em AM, ganhando, em 1995, a marca no dial da FM, o que lhe rendeu a menção honrosa, dada pela Associação Paulista de Críticos de Arte, por ser a primeira emissora jornalística em FM. A prática foi seguida pelas concorrentes, antenadas com a migração do público qualificado da AM para a FM. Somando AM e FM, a CBN paulista tem cerca de setenta mil ouvintes por minuto, com perfil semelhante ao público carioca: 63% das classes A e B. Brasília e Belo Horizonte, as outras duas praças que pertencem ao Sistema Globo de Rádio, apresentam volume de audiência mais modesto, porém extremamente qualificado, dentro do perfil desejado.

Um dos maiores desafios é manter a unidade dessa rede, editorial e conceitualmente. O SGR trabalha com um código de princípios e conduta que determina que, sem exceção, todas as partes envolvidas num determinado tema sejam ouvidas com igual destaque. Durante o período eleitoral, os cuidados são redobrados, para evitar que o noticiário corra o risco de ser manipulado politicamente. A primeira norma de princípio e conduta, durante as eleições, estipula que "âncoras, repórteres e comunicadores não devem fazer comentários que possam influenciar a opinião pública quando noticiarem fatos políticos, eventos de campanhas e pesquisas. Esses profissionais não podem se envolver pessoalmente, direta ou indiretamente, com qualquer esforço de candidatura".

Outro elemento de unidade da rede é a linguagem. Na busca de clareza e objetividade, os jornalistas da CBN são monitorados para aperfeiçoar continuamente o texto. Um dos grandes mitos do rádio que, felizmente, a CBN ajudou a derrubar é o de que uma bela voz é a principal ferramenta do profissional. Voz boa ajuda, sem dúvida, mas não é fundamental. No entanto, o bom texto é indispensável na produção de conteúdo editorial de qualidade, ainda mais se levarmos em conta que o futuro do rádio passa pela sinergia com outros veículos, não só eletrônicos, como também impressos. O profissional tem de ser completo, multimídia.

Panorama do mercado de radiojornalismo

Antes de entrar no mercado de radiojornalismo propriamente dito, é importante falar do mercado de rádio no Brasil, uma vez que a viabilidade econômica desse segmento impacta diretamente o mercado de trabalho de seus profissionais. Em 2006, a verba destinada ao rádio – veículo que, depois que a televisão tornou-se a vedete do mass media, viu sua fatia do mercado cair violentamente – correspondia a 4,5% do bolo publicitário, embora já tivesse chegado a apenas 3,7%, em 1997, e isso num universo extremamente pulverizado, com quase quatro mil emissoras.

No embate entre os dois veículos, ainda é preciso acrescentar a questão da pesquisa de audiência, que se sofisticara para atender à demanda da televisão e não fizera o mesmo no que se referia ao rádio. A pesquisa de audiência é falha porque se baseia no recall[1] e não considera a cobertura no carro e no trabalho. As informações são coletadas mediante pesquisas domiciliares sobre os hábitos dos entrevistados em relação aos meios, mas ficam de fora os receptores instalados em 71% da frota nacional de 21 milhões de veículos (com exceção de algumas poucas cidades, entre elas São Paulo) ou os cerca de cinco milhões de *walkmen*.

Além de as emissoras se entredevorarem por conta dos anunciantes, uma outra batalha divide o rádio no país: a desigualdade entre os segmentos AM e FM. O rádio chegara oficialmente ao Brasil em 1922, embora, antes disso, houvesse experiências feitas por amadores. O rádio nasceu como meio de elite, com uma programação que transmitia palestras, música clássica e ópera. Mas o que aqueles pioneiros não imaginavam era a velocidade com que o novo veículo se popularizaria no país. Com o surgimento da TV, no fim dos anos 1950, houve quem previsse a morte do rádio. A descoberta do transistor, porém, voltou a equilibrar a disputa e o radinho de pilha reconquistou

---

1 Medição de audiência feita por intermédio de entrevista domiciliar, na qual o pesquisador pergunta ao entrevistado se ele ouviu rádio e, em caso positivo, que programas, baseando-se na memória da pessoa pesquisada.

os brasileiros. No plano tecnológico, uma revolução surgiria nos anos 1960: as emissoras que transmitiam em freqüência modulada, as FM. O som ganhou uma pureza e uma qualidade até então desconhecidas, dando início a uma segmentação inédita: rádios AM e FM.

Foi na década de 1970 que a FM ganhou espaço, até mesmo com o apoio dos militares. Esse tipo de rádio, de baixa potência e alcance geográfico reduzido, estava talhado para a política de segurança nacional: as FM eram mais fáceis de controlar e, portanto, menos perigosas. A expansão das FM não parou. Em 1993, segundo o Ibope, 68% dos ouvintes sintonizam emissoras de FM; em 2001, esse percentual tinha subido para 77%, contra apenas 23% dos ouvintes na AM. É claro que, a reboque desse movimento, os investimentos também fizeram uma migração: em 1993, 41% das verbas publicitárias iam para a FM; em 2001, 70% dos investimentos estavam na freqüência modulada. Trocando em miúdos, dentro de um mesmo grupo, emissoras AM e FM disputavam ferozmente os anunciantes.

Agora, as boas-novas. Assim como a televisão não decretou a sentença de morte do rádio, a FM também não acabou com a AM. E não se pode dizer que o futuro do meio seja nebuloso. De acordo com reportagem do jornal O Estado de S. Paulo de setembro de 2004, calcula-se que são vendidos por ano cerca de um milhão de rádios no país, embora o item nem conste das estatísticas do setor eletroeletrônico (à guisa de comparação, são fabricados 5,4 milhões de aparelhos de TV e 3 milhões de computadores por ano).

Os diferentes veículos vêm se acomodando numa sociedade em transição. Com a ampliação da Internet como fonte de informação, a mídia impressa vem perdendo circulação: não só no Brasil, mas também no restante do mundo. Um exemplo que vem da França: jornais como Le Parisien e Le Monde anunciaram planos de incentivo a demissões voluntárias. De 1997 a 2003, a base de leitores dos diários nacionais franceses caiu 12%. No fim dos anos 1990, das quatro horas diárias dedicadas ao lazer, a TV ocupava mais de duas, contra 25 minutos para a leitura. Além disso, os franceses agora usam mais os carros para ir ao trabalho e se informam basicamente pelo rádio. Voltando ao Brasil, em São Paulo, onde há medição de audiência em rádios de carros, a CBN é líder absoluta.

As outras três principais emissoras que se dedicam ao radiojornalismo, embora não no modelo all news de 24 horas de notícias, não têm, somadas, a audiência da CBN.

O radiojornalismo é extremamente atuante e valorizado em São Paulo e no sul do país. Mesmo em emissoras mais populares, de estilo talk, vêm crescendo os investimentos em jornalismo. A explicação para essa mudança está relacionada com a crescente demanda dos ouvintes por informação de qualidade, credibilidade e isenção. O mercado publicitário também fez sua opção preferencial e não aposta fichas em programas apelativos ou "mundo cão". A sociedade da informação já começa a depurar e aperfeiçoar seu controle sobre o conteúdo, da maneira mais eficaz: no lugar de um controle externo para decidir o que é bom ou ruim, o próprio público faz suas escolhas e manda para o limbo o que é lixo.

Mas o grande *frisson* ainda está por vir. O meio todo se prepara para o rádio digital, que já é uma realidade nos EUA e na Europa. As operadoras de rádio por satélite podem oferecer mais de cem canais diferentes com qualidade sonora equivalente à do CD. Uma das vantagens do sistema, que tem atraído apresentadores polêmicos, é que, por funcionar à base de assinatura, seu conteúdo não está sujeito ao controle da Comissão Federal de Comunicações. Segundo uma empresa de pesquisa de mercado, o número de ouvintes de rádio por satélite nos EUA pode ultrapassar a marca de dez milhões antes de 2010.

O rádio digital, que ainda está em fase de testes no Brasil – e cujo projeto de implantação esbarra, principalmente, no quesito custo –, vai garantir uma qualidade de som que deixará emissoras de AM semelhantes às de FM; e, estas, com som de CD. A digitalização também permite a transmissão de textos e imagens, revolucionando o que hoje é conhecido como o radinho de pilha. A nova arquitetura da mídia provavelmente levará à fusão dos meios rádio e Internet, bastando apenas uma plataforma tecnológica compatível. E, mais uma vez, o que fará diferença será o conteúdo. O resumo da ópera é: a magia do rádio vai continuar no século XXI.

DOIS MESES DE CONVÍVIO COM MENORES INFRATORES

Das muitas experiências profissionais por que passou desde a sua chegada à CBN São Paulo, em 1993, a repórter Tânia Morales destaca como a mais desafiadora o convívio que teve, durante dois meses, com cinco adolescentes internos da Febem (Fundação Estadual do Bem-Estar do Menor), que participavam de uma oficina de rádio na instituição, num projeto idealizado pela ONG Fique Vivo, que teve a participação da CBN. Nesse período, Tânia tornou-se a chefe de reportagem deles; e eles, os repórteres com os quais ela discutia as pautas e as entrevistas que deveriam ser feitas, a maioria com colegas de alojamento na Febem. Depois, discutiam a edição final do programa produzido por eles. "Foi uma experiência difícil, a mais difícil de todas. Tive de vencer o medo e as idéias preconcebidas, porque até então só havia me relacionado com jovens como aqueles na condição de vítima infrator", conta Tânia, que ficou surpresa ao saber, nas conversas com os adolescentes, que eles não gostavam de jornalistas, a quem chamam de "Zé Povinho", por considerarem preconceituosos. O trabalho em equipe rendeu uma série de reportagens para a CBN, feita por Tânia, porém o capítulo mais dramático dessa história não foi ao ar. Em 16 maio de 2004, os cinco adolescentes foram visitar as instalações da emissora, última etapa do projeto da oficina de rádio. Eles chegaram ao estacionamento da CBN num furgão, escoltados por um carro da Polícia Militar. Algemados, foram colocados de frente para a parede antes de serem levados aos estúdios. "Só ali, naquele momento, me dei conta do fosso que nos separava", resume Tânia.

De patinho feio a cisne para os anunciantes

Rubens Campos
DIRETOR-GERAL DO SISTEMA GLOBO DE RÁDIO

Assumi a diretoria comercial do Sistema Globo de Rádio em outubro de 1998. A empresa operava com grande prejuízo. Em pouco tempo de conversa com os demais diretores descobri que havia um dilema instalado no sexto andar da Rua do Russel, na Glória, no Rio de Janeiro: uma consultoria de negócios havia identificado o foco do problema: era a CBN, cujo prejuízo era maior do que todo o lucro gerado pelos outros negócios. Ora, como a previsão dessa consultoria era de que a CBN somente atingiria o ponto de equilíbrio em 2010, a decisão sensata era fechá-la. Acreditem, a CBN ia sair do ar. ❧ A partir de 1997, a empresa tinha passado por um processo de reestruturação comandada pelo Paulo Novis, então diretor-geral, que estabeleceu objetivos claros, reformulou equipes, cortou despesas, implantou novos controles e construiu uma estratégia para o crescimento. Apesar de tudo isso, o negócio ainda operava com prejuízo.

Na segunda semana na empresa, fui ao escritório de São Paulo. Lá tive certeza de que não poderíamos, em hipótese alguma, tirar a CBN do ar. Essa conclusão se deveu principalmente a dois executivos de vendas que me marcaram para sempre naquela viagem: Neide Antunes, que hoje é gerente de planejamento comercial e eventos, e Nilo Frateschi, posteriormente promovido a coordenador comercial e a gerente comercial da regional São Paulo, cargo que ocupou até sair da empresa, em 2005. Por que essas duas pessoas me marcaram tanto? Simplesmente porque usaram todo o tempo que tiveram no nosso primeiro contato para mostrar quanto acreditavam na CBN e no potencial de sucesso do negócio. O brilho nos olhos dos dois enquanto falavam da emissora e suas teses firmes foi tão convincente que até hoje os chamo de CBNeide e CBNilo, dois importantes advogados da CBN num momento tão difícil.

Quando voltei ao Rio, Paulo Novis e Rodrigo Mineiro, diretor de negócios da CBN à época, haviam decidido que dariam uma chance à CBN. Para ajustar as despesas a um nível suportável foi necessária uma ousadia: construir uma programação nacional com custos de produção mais baixos. Isso era visto como uma heresia para a maioria dos especialistas de rádio, que dizia que a grande vantagem do meio rádio é a proximidade do ouvinte – as notícias locais, a cidade, os bairros... Ainda me lembro de alguns medalhões jurando que a nova CBN seria um fracasso retumbante. Erraram, felizmente erraram muito.

Passado o susto inicial, começava o desafio para o qual eu havia sido contratado: promover o aumento do faturamento para acabar com o prejuízo do negócio. Já nos primeiros contatos no mercado publicitário percebi que a maioria esmagadora dos profissionais com quem eu falava, tanto nas agências como nos anunciantes, era ouvinte assídua da CBN. Ora, se ouviam, por que não investiam na emissora?

O primeiro desafio: convencer o mercado paulista a somar a audiência da CBN AM com a da CBN FM. Naquela época era comum a CBN não ser considerada pelos anunciantes porque o mercado programava emissoras AM e FM de forma independente, não somando a audiência da CBN AM com a da FM, apesar de a programação ser idêntica. Quando somadas, as audiências da CBN a levavam à liderança absoluta entre os adultos das classes A e

B. Separadas, as emissoras não conseguiam posições de destaque no Ibope. O que parecia óbvio – um ouvinte não consegue ouvir a AM e a FM ao mesmo tempo – não era, na prática, usado pelo mercado. Lançamos uma campanha para provocar essa reflexão no mercado e adaptamos todos os relatórios de audiências, considerando-as sempre somadas. Felizmente a resposta foi rápida e em pouco tempo registramos um aumento significativo do número de anunciantes da emissora.

O segundo desafio: estabelecer o preço da CBN num ambiente em que o desconto era altamente valorizado por anunciantes e agências. Era muito comum ouvir da equipe comercial o discurso de que perdíamos alguns anunciantes porque não praticávamos descontos competitivos. Nossos concorrentes chegavam a operar com 80% de desconto em relação à tabela. Como sabíamos que a CBN era a marca com a maior percepção de qualidade do mercado, decidimos ser agressivos: aumentamos nossos preços de forma significativa – na verdade quase dobramos os preços em termos reais – e também atrelamos os níveis de desconto a uma política clara e transparente. No início chegamos a perder alguns anunciantes, mas, com o passar do tempo, o valor da marca CBN se impôs e o mercado absorveu não somente os novos patamares de preço como a nossa política. O resultado disso é impressionante: em 2005 a Rede CBN vendeu, em termos reais, 2,4 vezes mais do que em 1998. O prejuízo operacional de 1998, superior a R$ 10 milhões, virou história; a rede passou a ser lucrativa a partir de 1999 e, até hoje, apresenta resultados significativamente crescentes.

O terceiro desafio: atrair investimentos contínuos dos grandes anunciantes do mercado. Era comum haver oscilações nas vendas da CBN. Ficávamos à mercê das campanhas planejadas pelas agências para os anunciantes. Precisávamos tê-los investindo todos os meses e não apenas em ações de comunicação isoladas. A gente se sentia como se estivesse num trem fantasma, levando um susto a cada curva, uma metáfora perfeita muito usada por Marcos Libretti, um de nossos diretores. Precisávamos encontrar uma maneira de dar maior estabilidade à receita da CBN. Diante dessa realidade assumimos a postura de consultores de comunicação. Estudávamos os desafios de cada anunciante, seu ambiente competitivo, suas ameaças e oportunidades de mercado, enfim, buscávamos tentar conhecê-los quase tão bem quanto eles próprios. Aliamos a isso o desejo de aumentar ainda mais a qualidade de nosso conteúdo. A partir daí surgiram projetos que, ao longo do tempo, trouxeram para a CBN nomes que hoje são imprescindíveis. O programa "Liberdade de expressão", por exemplo, com Carlos Heitor Cony e Artur Xexéo, foi criado para preencher uma oportunidade de mercado resultante da proibição da mídia de cigarros. Construímos a idéia e a levamos à direção da Souza Cruz. Se a indústria não podia mais anunciar suas marcas, restava a ela a oportunidade de estimular de forma criativa a convivência pacífica de pontos de vista diferentes. E assim foi por três anos consecutivos: a Souza Cruz patrocinou o programa que hoje é conteúdo obrigatório da programação da Rede CBN.

Muitos nomes que o comando de jornalismo desejava trazer para a programação e que hoje são conteúdos fundamentais da emissora vieram graças a anunciantes que decidiram fazer investimentos contínuos na CBN. Miriam Leitão, Arnaldo Jabor, Max Gehringer, Mauro Halfeld e Merval Pereira são exemplos disso. Não tínhamos recursos orçados para contratá-los e fomos ao mercado buscar anunciantes que apostaram na idéia e nos permitiram trazê-los.

O valor da marca CBN. Um caso pitoresco aconteceu em 2000 com um cliente do setor farmacêutico que produz um dos mais famosos medicamentos antigripais do mercado. Numa reunião com o diretor de *marketing* dessa empresa, fomos informados de que eles tinham planos para uma campanha de rádio no mês de julho. O inverno é o período durante o qual as pessoas são mais suscetíveis à gripe e, portanto, quando se dá o pico de vendas do produto. Os executivos da empresa farmacêutica queriam ganhar participação no mercado e a agência tinha produzido um jingle, um forró bastante interessante, para o rádio. O diretor pediu para buscarmos formas de valorizar ainda mais a veiculação do jingle. Sugerimos a realização, nas nossas emissoras FM com audiência mais popular (98 FM do Rio de Janeiro e BH FM de Belo Horizonte), de um karaokê. O jingle iria ao ar e, logo a seguir, os ouvintes que ligassem e conseguissem cantá-lo receberiam das rádios um *kit* com vários brindes. Ele adorou e aprovou a idéia na hora. No dia seguinte à aprovação, me ligou pedindo que incluíssemos na proposta a veiculação do jingle na CBN. Argumentei que a CBN, com sua audiência mais qualificada, talvez não fosse a melhor opção para aquela campanha que visava a aumentar o volume de vendas. O diretor disse que entendia meu ponto de vista, mas queria ter o jingle na rádio porque era uma emissora que daria prestígio à marca e, além de tudo, ele queria que o presidente da companhia, ouvinte assíduo da CBN, pudesse ouvir a campanha. Assim foi feito e os resultados alcançados superaram as expectativas.

Em janeiro de 2005, foi divulgado o 6º Estudo de Confiança da Edelman – maior agência independente de comunicação do mundo, fundada em 1952 nos Estados Unidos, com dois mil funcionários em quarenta escritórios espalhados nos cinco continentes –, que revelou o crescimento da credibilidade dos meios de informação locais. A pesquisa constatou que fontes de informação regionais são as mais confiáveis no mundo e no Brasil. O estudo demonstrou a tendência do cidadão de recorrer a fontes específicas e mais próximas do seu dia-a-dia para se informar. Em primeiro lugar no Brasil ficou a CBN, com 7% dos votos de confiança. As fontes globalizadas que receberam mais votos foram a britânica BBC (TV e rádio) e a norte-americana CNN.

Em 2005, pelo sexto ano consecutivo, a CBN foi eleita pelo mercado publicitário a emissora de maior prestígio do Brasil em pesquisa realizada pela Troiano Consultoria de Marcas, contratada por Meio & Mensagem, uma editora especializada na comunicação com o mercado de publicidade.

Poderia ficar horas escrevendo histórias como essas para mostrar que existe uma valorização cada vez maior da CBN, tanto por ouvintes quanto por anunciantes. Tudo isso serve para mostrar que o conteúdo de qualidade da CBN, com isenção e credibilidade, é um grande diferencial. É na verdade um patrimônio valioso na hora da venda, uma verdadeira alavanca de lucros.

O SUCESSO DO PASSADO NÃO GARANTE O FUTURO

O sucesso da CBN gera maior atenção por parte dos seus concorrentes, que, cada vez mais, buscam se aprimorar para tentar alcançá-la e até superá-la. Quem se beneficia nesse ambiente de qualidade é o ouvinte de rádio, que cada vez mais é brindado com fontes de informação de alta qualidade.

Um bom exemplo da inquietude e da vontade contínua de melhorar o conteúdo que marca a equipe da CBN ocorreu em abril de 2002. Mariza Tavares, nossa diretora de jornalismo e primeira executiva da CBN, propôs uma mudança no programa que tínhamos em parceria com o Instituto Ethos, o "CBN Empresa Voluntária", cujo objetivo era estimular a cidadania empresarial por meio de exemplos de iniciativas empresariais bem-sucedidas visando ao bem-estar social. A idéia era mudar para "CBN Responsabilidade Social", tornando-o mais abrangente, cobrindo, também, iniciativas de organizações não-governamentais, de governos etc. Lembro-me bem da minha preocupação com o fato de estarmos mexendo em uma coisa que estava dando tão certo e era tão valorizada pelos ouvintes. Transcrevo o *e-mail* de Mariza respondendo a essa minha preocupação: "Rubens, eu acredito em mudar o que está dando certo, sim. Mudar sempre e para melhor. Depois de um ano martelando o mesmo bordão, temo que a fórmula atual do programa dê sinais de cansaço. Para quem faz, com certeza. Heródoto (Barbeiro) e Zallo (coordenador de jornalismo de São Paulo) já me falaram isso. Giovanni (gerente nacional de jornalismo), idem. A mudança representará um sopro novo e ampliará o leque de pautas. Na conversa que tive com Oded (presidente do Ethos), ele também fez ressalvas ao termo "voluntária", que limita o espaço de atuação e dá margem a uma leitura apenas de coisa beneficente. A comunicação da mudança será feita no congresso a ser realizado pelo Ethos. Acho que fica muito melhor, senão não estaria propondo, principalmente para os ouvintes."

Esse é o espírito do time da CBN. Inovar, renovar e criar sempre. A manutenção dessa atitude garantirá, não tenho dúvidas, a ampliação da qualidade que tornará a rádio que toca notícia cada vez mais próxima dos seus ouvintes e cada vez mais distante dos seus concorrentes, ampliando sua liderança e conseqüentemente seus lucros.

Tem americano na vinheta da CBN

A vinheta de apresentação da CBN é a mais simples – apenas o nome da emissora cantado com um arranjo musical ao fundo – e marcante de todas as veiculadas diariamente. Criada em 1994 pelo estúdio chamado *Who did that music?*, em Las Vegas, nos Estados Unidos, a vinheta teve sua primeira versão vetada pela direção do Sistema Globo de Rádio por causa do sotaque dos seis integrantes que compunham o coral escolhido para gravá-la, como conta o gerente técnico do SGR na época, José Cláudio Barbedo, o Formiga, que acompanhou todo o processo de criação nos EUA. "O coral era formado por três brasileiros e três americanos, homens e mulheres. Só que os brasileiros estavam seguindo a pronúncia dos americanos e a marca CBN estava ficando com um leve sotaque inglês, como 'ci-bi-ene' e não 'cê-bê-ene'. Então relembramos que a vinheta estava sendo feita para ser utilizada no Brasil e os brasileiros conseguiram que os americanos cantassem direitinho em português."

Antes de 1994, cada CBN produzia localmente suas vinhetas, não havia unidade. Depois disso, foi criada uma padronização, com vinhetas e arranjos específicos para todos os programas, boletins e produtos da emissora, fossem em rede ou locais. Atualmente, a empresa que cuida da plástica da CBN também tem nome em inglês – *Play it again* –, mas é brasileira e fica em São Paulo.

No Natal, voz de prisão como presente

— A senhora está presa!

Com a arma apontada para a cabeça de Vanessa di Sevo, da CBN São Paulo, um delegado policial da Zona Norte da capital paulista tentava, dessa forma, intimidar a repórter, que insistia para que ele confirmasse a existência de uma rebelião e fuga de presos naquela unidade. A informação fora passada para a redação da CBN pelo próprio Centro de Operações da Polícia Militar (Copom) e a repórter se deslocara até a DP para fazer a reportagem. "O delegado me disse que não havia rebelião alguma, mas eu insisti. Foi quando um carcereiro chegou e gritou para o delegado: 'Foram três.' Então, eu perguntei ao delegado: três que fugiram ou ficaram? Ele achou que eu estivesse desrespeitando a autoridade dele, me apontou a arma e deu voz de prisão", conta Vanessa. A repórter acionou o então chefe de reportagem Zallo Comucci, hoje coordenador de jornalismo da CBN São Paulo, que foi ao local e contornou a situação com outro delegado, o titular. Houve mesmo rebelião e fuga. Um Natal nada agradável para Vanessa — afinal, tudo isso aconteceu no dia 25 de dezembro de 1998.

FLORES PARA A DONA DA VOZ

O dono da voz em rádio nem sempre tem sua imagem conhecida pelos ouvintes – daí muitos deles se "apaixonarem" não exatamente pelas pessoas que falam no microfone, mas pela voz delas. A âncora Roxane Ré, do "CBN Noite Total", sabe muito bem disso. Certa vez, durante a apresentação de um programa, notou a presença no estúdio de um senhor desconhecido que acompanhou atentamente o noticiário e as entrevistas feitas por ela. Ao término do programa, o senhor se apresentou a Roxane e disse que era um ouvinte da emissora. "Em seguida, me entregou um buquê de girassóis. E me disse: 'Minha filha, eu sou apaixonado por sua voz'", recorda Roxane, que ainda ouviu uma confissão do visitante antes que este deixasse o estúdio, feliz da vida: "Eu tenho de lhe dizer uma coisa: achava que você era mais velha, mas você é muito jovem." Para Roxane, essa é uma das magias do rádio: nem sempre somos iguais ao que a voz sugere.

CAMPANHAS PUBLICITÁRIAS
Mari Ventura
GERENTE DE MARKETING DO SISTEMA GLOBO DE RÁDIO

A partir de 1997, a publicidade da CBN foi um importante diferencial na conquista de audiência e de prestígio da marca. Era muito importante comunicar de forma consistente a existência de uma emissora única, que provia informação de qualidade nas 24 horas do dia. Assim foi feito. Sucessivas campanhas foram desenvolvidas, valorizando os diferenciais da emissora e ajudando a consolidar sua liderança.

O meio jornal foi escolhido como o principal alvo da primeira campanha, criada pela DPZ.

Por meio de comerciais de TV, spots de rádio e anúncios para mídia impressa, a agência apresentou elementos que mostravam que a notícia no rádio era muito mais atual que a do jornal.

O resultado dessa campanha de 1998 foi o crescimento de 70% da audiência no primeiro mês de veiculação no Rio de Janeiro. Já em São Paulo, a CBN passou a ser líder de audiência no horário das 7h às 9h.

Ano 1998

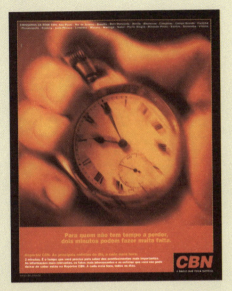

Ano 1999

A segunda campanha, também da DPZ, foi veiculada entre 1998 e 1999 e teve como objetivo criar um posicionamento para os principais programas da rede CBN. O anúncio ao lado é um exemplo dessa fase: apresenta o "Repórter CBN, as principais notícias do dia a cada meia hora". A mesma idéia foi desenvolvida para outros programas da CBN:

Jornal da CBN: as notícias que podem mudar o seu dia.

CBN Brasil: notícias por inteiro no meio do dia.

Jornal da CBN 2ª Edição: as notícias que serão destaques nos telejornais da noite.

Dois objetivos foram alcançados com essa campanha, que foi ao ar em jornais, revistas e na própria CBN: a ampla divulgação do conteúdo da programação e o apoio aos ouvintes para adequarem seu hábito de ouvir a CBN a seus estilos de vida.

A terceira campanha, ainda da DPZ, foi veiculada entre 2000 e 2001 e tinha como objetivo aumentar a fidelidade dos ouvintes atuais e conquistar novos. A idéia era ressaltar os diferenciais da CBN em relação às demais emissoras — imparcialidade, atualidade e qualidade da equipe de jornalismo.

Ano 2000

69

A quarta campanha, veiculada entre 2001 e 2003 pela J W Thompson, valorizou o ganho de tempo que o ouvinte tinha ao ouvir a CBN. Mostrou que ao sintonizar a CBN o ouvinte estaria bem informado e encontraria tempo para aproveitar as coisas boas da vida. Foram criados materiais para mídia impressa e spots de rádio.

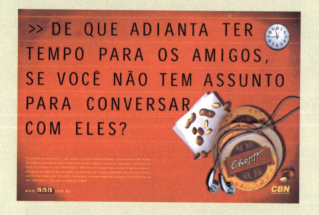 

Ano 2001

Ano 2005

A CBN é reconhecida como fonte de informação relevante, confiável e isenta. Por isso, a comunicação com o público por intermédio de campanhas continua valorizando a importância da notícia para a vida das pessoas, bem como a capacidade de a CBN obtê-la e veiculá-la com agilidade e rapidez, ressaltando a qualidade de sua equipe de âncoras e comentaristas – os mais conceituados do país. Em 2005, por meio de anúncios para jornais e revistas, temas da atualidade são usados continuamente para valorizar os diferenciais da emissora.

Fenômeno avisa que vai dar drible no goleiro aos 17 minutos do segundo tempo.

Como não é bem assim que as coisas acontecem, você precisa ouvir sempre a CBN.

Notícia tem, sim, hora marcada para acontecer: diariamente de 0h à meia-noite.

Felizmente, nesse horário a CBN está no ar.

CBN. A rádio que toca Arnaldo Jabor, Miriam Leitão, Franklin Martins, Cony e Xexéo, Juca Kfouri, Armando Nogueira, Gilberto Dimenstein, Max Gehringer, Merval Pereira, Lucia Hippólito, Raí, Renato Machado, Luís Fernando Correia, Lula Vieira, Mauro Halfeld, Milton Jung, Heródoto Barbeiro, Adalberto Piotto, Roberto Nonato, Sidney Rezende, Carlos Alberto Sardenberg, Renato Maurício Prado, Celso Itiberê.

E, entre um e outro, 24 horas de notícia em tempo real.

Ano 2005

Campanhas regionais

São Paulo – 1995

Em novembro, num movimento pioneiro copiado depois por emissoras concorrentes, a CBN São Paulo passa a ser transmitida também pela freqüência FM 90.5 – até então o sinal era disponível apenas na freqüência AM 780.

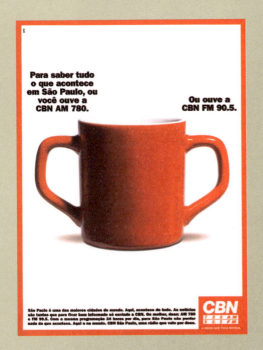

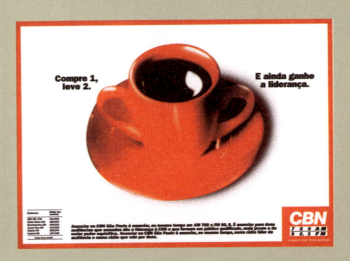

Ano 1999

Rio de Janeiro – 2000

Campanha veiculada no Rio de Janeiro visou à valorização do dial – 860 AM – que, na época, era pouco conhecido.

Ano 2000

Rio de Janeiro – 2005

Em 4 de julho, a CBN passa a transmitir também no Rio de Janeiro pela FM 92.5 – até então o sinal era disponível apenas na freqüência AM 860. Criação da Contemporânea.

Nos últimos dias, o José Dirceu saiu do ministério, deputados se estranharam no Congresso, a Dilma Roussef assumiu a Casa Civil, o Paulista ganhou a Copa do Brasil e a inflação caiu.

E quando parecia que todas as coisas importantes já tinham acontecido, olha só essa notícia:

A PARTIR DE 4 DE JULHO, A CBN RIO TAMBÉM É FM: 92,5.

A rádio que toca notícia em AM e FM.

Ano 2005

Quem ouve FM pode continuar onde está que não vai perder nenhuma notícia.

A partir de segunda-feira, a CBN também é FM: 92,5.

A rádio que toca notícia em AM e FM.

Heródoto Barbeiro continua CBN. Só que agora também é FM: 92,5.

Jornal da CBN das 6 às 9;30 h. Agora em AM e FM.

Já escutou essa? CBN agora também é FM: 92,5.

A rádio que toca notícia em AM e FM.

92,5FM   É sempre bom ouvir os dois lados da notícia.   860AM

A partir de hoje, CBN também é FM.

CAMPANHAS PARA O MERCADO PUBLICITÁRIO

Em 1998, foram desenvolvidas algumas campanhas direcionadas ao mercado publicitário — segmento composto por profissionais de agências e anunciantes. Tais campanhas visavam mostrar que anunciar em uma rádio de credibilidade transmite os valores positivos ao produto anunciado.

ANO 1998

Ano 1998

77

Reconhecimento

Desde 2000, ininterruptamente, a CBN é escolhida como o veículo mais admirado do Brasil no meio rádio em pesquisa anual da Troiano Consultoria de Marcas, feita com assinantes da revista e *site* Meio & Mensagem, destinados a publicitários.

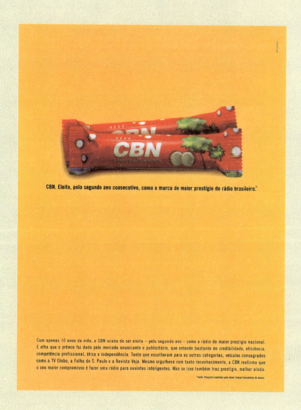

Ano 2001   Ano 2006

78

Anúncios de oportunidade

Os anúncios de oportunidade são utilizados

continuamente para valorizar eventos, notícias relevantes sobre o meio rádio e diferenciais de programação. Os exemplos a seguir foram veiculados em 2005:

"MUNDO SUSTENTÁVEL" NA FACULDADE

No ar desde 2004 com o boletim "Mundo sustentável", apresentado aos sábados e domingos no programa "Revista CBN", o jornalista André Trigueiro defende a tese de que o jornalismo pode e deve ser entendido como uma importante ferramenta pedagógica a ser utilizada na busca de um mundo melhor, mais justo e, claro, sustentável. Em 2005, dentre os muitos *e-mails* que recebeu de ouvintes, chamou-lhe a atenção uma mensagem enviada por um engenheiro civil, que dava aulas numa faculdade de arquitetura em Vitória, no Espírito Santo. O professor disse a Trigueiro que os temas abordados no "Mundo sustentável" inspiram a programação das aulas dele na faculdade. Os alunos são orientados a fazer pesquisas no *site* da CBN, no *link* do boletim, e, em seguida, têm como desafio reproduzir em sala de aula algumas das experiências descritas no rádio, como os coletores solares para aquecer água do banho, tijolos ecológicos, reciclagem de entulho. "Em síntese, todos os assuntos relacionados com construção civil abordados por mim no fim de semana viram experiências em sala de aula – isso prova a enorme responsabilidade que é falar em rádio, principalmente na CBN", ressalta Trigueiro. Juntamente com a mensagem sobre o sucesso de sua empreitada, o professor anexou um artigo técnico escrito por ele e mais três professores que recomenda o uso de reportagens exibidas na mídia para incrementar o conhecimento dos alunos de engenharia na área de sustentabilidade – artigo, aliás, inscrito e aprovado no mais importante evento do setor, o Congresso Nacional de Engenharia de Produção. "Esse engenheiro prova que é possível educar pelas ondas do rádio", conclui Trigueiro.

Um maratonista em Santo Domingo

Os Jogos Pan-Americanos de Santo Domingo, na República Dominicana, em 2003, quebraram todos os recordes de desorganização. E o enviado especial Carlos Eduardo Éboli, âncora do "CBN Esportes", correu uma maratona por dia na busca da informação. "Nunca enfrentei tantos obstáculos, físicos ou não, para fazer uma cobertura esportiva. Para aumentar ainda mais meu drama, o Brasil ganhava medalhas a toda hora, em qualquer modalidade", conta Éboli, até hoje surpreso com o despreparo de Santo Domingo para sediar competições desse porte e receber atletas, turistas e jornalistas de vários países. "O sistema de transportes era o caos. Eu precisava me deslocar a pé, de um lado para outro, até chegar aos locais das provas. Em 15 dias de evento quase voltei à minha condição de atleta, pois perdi cinco quilos", diz o âncora. Mas o ouro na modalidade bagunça ficou com a final do basquete masculino, entre Brasil e os donos da casa: o ginásio foi invadido, gente entrava por todos os lados, de qualquer maneira, e nem mesmo os soldados do Exército conseguiam conter a multidão. "A entrada exclusiva de jornalistas foi usada por torcedores, era cada um por si, ninguém se entendia. Depois disso, sem explicação, os soldados do Exército viraram o jogo e barraram todo mundo – incluindo eu e outros jornalistas", conta Éboli. Dali em diante, valia tudo: o enviado da CBN driblou a segurança, chegou à tribuna de honra e, para surpresa dele, sentou-se tranqüilamente ao lado do próprio presidente do país na época, Hipólito Mejía. Mas, no tumulto, ainda encontrou lugar melhor para ver a conquista do ouro pelo Brasil: dentro da própria quadra onde se realizava a final. "Por essas e outras, posso dizer que sobrevivi aos Jogos Pan-Americanos de Santo Domingo", comemora Éboli.

A marca da agilidade

Franklin Martins

COMENTARISTA DE POLÍTICA DA CBN DE 1998 A 2006

Nunca tinha trabalhado em rádio até o dia em que a CBN, em 1998, me convidou para fazer comentários diários sobre política — na verdade, dois: um pela manhã, por volta das 8h, e outro à tarde, um pouquinho antes da "Voz do Brasil". Aceitei na hora o convite — e entusiasmado. ❖ Primeiro, porque sempre fui um fã de carteirinha da idéia que fez a CBN vir ao mundo: a formação de uma rede de rádios, espalhada por todo o país, tocando notícia 24 horas por dia, dia e noite, sem parar. Para um jornalista que gostava (e gosta) de correr atrás de notícia, era (e é) um prato cheio. Para o público, também. Segundo, porque, para mim, que me formei profissionalmente na imprensa escrita, o rádio representava um desafio, e sou movido a desafios. Durante décadas, mexi com as "pretinhas", como se dizia no tempo em que as máquinas de escrever, e não os computadores, dominavam as redações dos jornais. Trabalhar no rádio, portanto, era uma ótima oportunidade para abrir uma nova janela para o mundo, aprender coisas interessantes e dar uma boa sacudida na rotina.

Apanhei um pouco para descobrir e entender as especificidades do novo ambiente. Por exemplo, nas primeiras semanas, eu não fazia meus comentários ao vivo, batendo papo com o Heródoto Barbeiro e o Roberto Nonato. Preferia escrever um texto antes, emendá-lo em seguida e depois gravá-lo. Em parte, esse procedimento decorria de limitações físicas. Como eu saía da televisão muito tarde – na época, o Jornal da Globo terminava depois da uma da madrugada –, não era fácil acordar às sete e pouco da manhã para entrar ao vivo na CBN. Mas em parte também esse esquema revelava que eu ainda permanecia agarrado à minha experiência anterior e não havia entendido que rádio é muito diferente de jornal. No mínimo, estava procurando manter um pé em cada canoa. Escrevia de antemão os comentários – e assim preservava os cacoetes da imprensa escrita. E depois, lia os textos na CBN – e dessa forma pretendia estar fazendo rádio. Na verdade, não estava fazendo nem uma coisa nem outra, como vim a descobrir mais tarde.

É claro que a essência do trabalho de um jornalista não muda quando se muda de veículo. Os princípios gerais são os mesmos: a busca da verdade, a segurança na informação, a preocupação com a isenção, a luta pela independência, o respeito ao leitor (ou ouvinte) e a compreensão de que nossa primeira lealdade é com a sociedade. Mas a forma do jornalismo varia – e muito – de veículo para veículo. Rádio é rádio, televisão é televisão, Internet é Internet, revista é revista, jornal é jornal. Cada um desses meios apóia-se em recursos distintos, trabalha com noções de tempo diferentes e dirige-se a públicos diversos.

A essência do rádio é a fala. Sua marca, a agilidade. Seu público, o das pessoas ligadas o tempo todo no mundo.

Aprendemos a falar antes de aprender a escrever ou a produzir imagens. De todas as formas de comunicação desenvolvidas pelo homem, a fala é a mais natural. Por isso mesmo, quanto mais solta, direta e informal for a relação com o ouvinte, melhor. Assim, quando nas minhas primeiras semanas de CBN, em vez de bater um papo sobre o assunto do dia, optava por ler textos escritos — e, é bom lembrar, textos escritos para serem lidos no jornal, e não para serem ouvidos em casa, no carro ou no trabalho —, estava jogando fora uma das armas mais importantes do rádio: a espontaneidade.

Rádio não é leitura, é conversa; não é discurso, é bate-papo. É verdade que houve uma época em que os locutores não se limitavam a dar as notícias; faziam questão de anunciá-las. Acreditavam que o estilo solene, impostado e, às vezes, dramático dava mais peso à informação. Na verdade, apenas dificultava seu entendimento, mantendo o ouvinte a distância. Felizmente, com o tempo o rádio acabou tirando o fraque e a cartola do noticiário. Na ancoragem da CBN, por exemplo, a informação está sempre à vontade. A impressão que se tem é de que ela veste calça e camisa folgadas. Tudo bem, no meu caso — trabalhando em Brasília, freqüentando o Congresso, fazendo incursões ao Palácio do Planalto, batendo perna nos ministérios — sou obrigado a usar terno. Mas na hora de fazer comentários para a CBN tratava de abrir o colarinho e afrouxar a gravata. Faço questão de que a minha conversa com o ouvinte seja a mais descontraída possível.

Mas rádio não é apenas descontração. É também agilidade. Nas últimas décadas, os jornalistas passaram a contar com novos meios e novas ferramentas que deram notável velocidade a seu trabalho, como os computadores, a Internet, a transmissão por satélite, as câmeras digitais e os telefones celulares. O tempo que decorre entre o fato e a sua divulgação é cada vez menor. Na televisão, o fenômeno é evidente. Na Guerra do Vietnã, há quarenta anos, as imagens dos ataques dos fuzileiros navais às aldeias camponesas levavam três ou quatro dias para serem exibidas nos Estados Unidos — os filmes precisavam ser revelados em laboratórios e viajar 15 mil quilômetros antes de serem editados e vistos pelos telespectadores. Já na Guerra do Iraque, o bombardeio de Bagdá foi transmitido em tempo real. Na imprensa escrita, o impacto das transformações tecnológicas também é impressionante. Cinco minutos depois de o goleiro Khan ter batido roupa e o Fenômeno ter empurrado a bola para o fundo da rede alemã, em Tóquio, a foto do gol que nos garantiu o penta já estava rodando nas primeiras páginas dos jornais brasileiros. Quando fomos campeões do mundo pela primeira vez, em Estocolmo, as fotos da vitória só entraram nas edições extras publicadas horas depois do fim do jogo. E o que dizer das edições eletrônicas dos jornais ou dos *sites* na Internet? Cada vez são mais rápidas no gatilho.

Pois bem, apesar desses notáveis progressos, até hoje nem as TVs, nem os jornais, nem os *sites* eletrônicos conseguem ser tão ágeis como o velho e bom rádio, a não ser, é claro, nas transmissões ao vivo – mas transmissões ao vivo são exceções e não a regra no jornalismo televisivo. No varejão da notícia, responsável por mais de 90% das informações do dia, o rádio continua imbatível em termos de agilidade. E por uma razão bem singela: ele é muito mais leve do que todos os outros meios de comunicação. Não exige grandes produções, não depende de equipamentos complexos, não trabalha com equipes numerosas. No rádio, basta que um repórter esteja junto ao fato e tenha um celular ligado ao estúdio para que a informação chegue ao ouvinte, quase instantaneamente.

Trabalhando na CBN, pude constatar, especialmente nos momentos de crise, como isso é verdadeiro. Em vários momentos importantes, como na crise da desvalorização do real, na luta de morte entre Antonio Carlos Magalhães e Jader Barbalho, na vitória de Lula, nas primeiras denúncias sobre o mensalão, na queda de José Dirceu, na cassação de Roberto Jefferson e na renúncia de Severino Cavalcanti, fui chamado a comentar fatos que haviam ocorrido pouco antes. Ou seja, ao ouvinte não se entregou apenas a notícia em tempo real, mas também, logo em seguida, uma interpretação em primeira mão sobre o que acabara de acontecer.

Para um comentarista, explicar o que está por trás e em torno da notícia praticamente no mesmo momento em que ela chega ao distinto público é um desafio e tanto. Muitas vezes, o cidadão não conta com um conjunto de informações prévias que lhe permita perceber claramente o significado de um fato no momento em que ele ocorre. Por exemplo, quando Severino Cavalcanti foi eleito para a presidência da Câmara dos Deputados, era um ilustre desconhecido. Poucos sabiam quem era ele, quem o havia apoiado, como conseguira vencer a disputa e qual seria a repercussão de sua eleição sobre a situação política. Traduzir em cima da bucha acontecimentos surpreendentes como esse é algo extremamente estimulante. Exige não só um razoável acúmulo de informação sobre o conjunto da cena política como uma avaliação bastante precisa da temperatura do momento – além, é claro, de uma boa dose de humildade, para admitir que, às vezes, os fatos são tão confusos que necessitam de um pouco mais de tempo para decantar. Nesse caso, é melhor dividir as dúvidas com o ouvinte do que trombetear certezas que não se tem.

Até porque o ouvinte da CBN, de um modo geral, é crítico e exigente. É evidente que quem ouve regularmente uma rádio que toca notícia gosta de notícia. E, por isso mesmo, tende a estar bem informado e a formar sua própria opinião sobre os acontecimentos. Assim, sabe distinguir o que é uma informação segura de um "chute", ou uma avaliação apoiada nos fatos de uma especulação descolada da realidade. Mais: o ouvinte da CBN é participativo. Quando discorda frontalmente de algo, chia. Quando algo lhe agrada especialmente, elogia. Tudo somado, a CBN é hoje uma referência na cobertura dos fatos políticos do país.

A RÁDIO QUE TOCAVA BOI, CAVALO, COBRA...

A "Fazendinha" tinha bois, cavalos e até cobras. De vez em quando, o mato seco pegava fogo e os funcionários do local corriam de um lado para outro com baldes de água e mangueiras na mão. Pode parecer estranho, mas era nesse cenário que estava instalada a CBN Belo Horizonte, numa grande e afastada área verde do bairro de Betânia, Região Oeste da capital mineira. Na "Fazendinha", nome dado pelos próprios funcionários, ficavam a redação, o estúdio, os transmissores e as antenas – e, claro, na geladeira, algumas ampolas de soro antiofídico e seringas para qualquer emergência. Os incêndios nas épocas mais secas eram constantes, como lembra o vigilante José Procópio Marangon, há 12 anos em Betânia: "A gente cortava um ramo de árvore e batia no fogo até os bombeiros chegarem. O risco de atingir as antenas e a fiação em volta deixava todo mundo apavorado. Só ficávamos mais tranquilos quando ouvíamos a musiquinha do caminhão do Corpo de Bombeiros chegando", diz ele. Nessas empreitadas, todos os funcionários saíam de seus departamentos e ajudavam a combater o fogo – menos quem estava no ar naquela hora. Hoje, Betânia concentra apenas os transmissores e a antena da Rádio Globo. Redação e estúdio da CBN, além de outros departamentos que ficavam no bairro Savassi, estão na moderna sede do bairro Buritis. Já antena e transmissores da CBN estão... na Serra do Curral.

A QUEBRA DE UM PARADIGMA: NOTÍCIA EM FM

Pioneira no segmento all news, a CBN deu outro passo importante em 1995, quatro anos após a sua criação: a CBN São Paulo iniciou a transmissão também em FM, na freqüência 90.5, que se juntava à AM 780 numa só programação. O modelo foi replicado nas outras emissoras próprias do Sistema Globo de Rádio: em Brasília, em Belo Horizonte e, por fim, a partir de 2005, no Rio de Janeiro. As duas maiores cidades do país transmitem em FM e AM, enquanto as outras duas apenas em FM. Das 21 afiliadas, nove estão em FM, ao passo que apenas Londrina, no Paraná, tem a programação em FM e AM simultaneamente. Para o âncora e gerente de jornalismo da CBN São Paulo, Heródoto Barbeiro, a entrada do all news na FM foi uma grande ousadia: "A proposta de ter a CBN em FM foi apresentada no início do projeto, em 1991, mas na época significava uma quebra de paradigma muito difícil de ser feita. Por isso ela só ocorreu alguns anos mais tarde, quando as Organizações Globo tiraram do ar a Rádio X e puseram a CBN na freqüência 90.5". Desde então, outras emissoras pegaram carona na iniciativa da CBN e aderiram à FM para a transmissão de notícia, embora em formatos distintos de programação. Jorge Guilherme, diretor de jornalismo da CBN em 1995, recorda que a entrada na FM trouxe novos ouvintes para a emissora, já que o sinal se ampliara e os usuários de rádio tinham preferência pelo som mais claro e limpo das FMs. "A CBN ganhou muito com a programação em FM, foi um salto de qualidade", resume Jorge Guilherme.

Economia instantânea

Miriam Leitão

COMENTARISTA DE ECONOMIA DA CBN

Fui acordada pelo toque do telefone na minha cabeceira. A voz eu conhecia, mas não esperava ouvi-la naquela manhã: — O Heródoto mandou perguntar se você quer fazer uma pergunta para o ministro Pedro Malan numa entrevista aqui na CBN — me disse o funcionário que sempre me ligava de manhã para o boletim matinal. ❖ Na véspera, eu tinha deitado muito tarde. Tinha ido a Brasília para participar da entrevista coletiva em que o governo anunciou a primeira mudança na política cambial do Plano Real. Manobra arriscada. Era março de 1995. O Plano tinha oito meses, o governo, três. O México estava em plena crise cambial. Qualquer barbeiragem e lá se ia o nosso sexto plano econômico em nove anos para o mesmo destino dos outros cinco: a lata dos fracassos da História. Havia uma briga interna na equipe econômica sobre qual era o melhor caminho a tomar. Isso piorava tudo.

A explicação da mudança de política refletia essa contradição interna que opunha Gustavo Franco, então diretor da Área Externa do Banco Central, a Pérsio Arida, presidente do Banco Central. Fora confusa, contraditória. De Brasília liguei para fontes no Rio e em São Paulo e estava todo mundo em dúvida sobre como o mercado abriria no dia seguinte.

Cheguei tarde de Brasília. Decidi ligar para o plantão do estúdio da CBN e deixar gravado meu comentário e, assim, dormir um pouco mais. Por isso a surpresa quando a CBN me telefonou. Olhei o relógio, era pouco depois das sete, cedo ainda para a minha entrada que é às 8h25. Daria tempo de ir até a cozinha – pensei – pegar uma xícara de café, olhar os jornais e preparar alguma pergunta.

– Claro, pergunto sim – concordei.

– Então pode falar, vou plugar – disse o operador do rádio.

Ia pedir um tempo, mas era tarde. Ouvi a voz do Heródoto:

– Ministro, a Miriam Leitão está aqui conosco na linha e vai fazer uma pergunta ao senhor. Fala, Miriam.

A voz do Heródoto me congelou. Entre o acordar com o toque do telefone e aquele ao vivo em rede, passaram-se segundos. Eu não tinha pensado em nada, sentei na cama abruptamente para espantar o resto da sonolência e falei, em choque:

– Bom-dia, ministro!

Sérgio, meu marido, acordou assustado. Contou mais tarde que, no torpor do sono, tinha achado que um ministro estivesse entrando no quarto.

– O quê? Quem?

Fiz um sinal para ele que ficasse em silêncio e improvisei:

– Ministro, o senhor não acha que essa mudança cambial pode dar errado? Ontem o mercado não estava entendendo nada das novas regras da política cambial. O senhor não teme uma fuga de capital?

Nem sei muito bem por que falei isso, mas essa era a pergunta certa. Soube depois. Naqueles dias saíram do país US$ 10 bilhões, em fuga detonada pela mudança meio confusa da política cambial. Foi quando entendi que o desafio do rádio é ainda mais agudo. Não é apenas ao vivo; o jornalismo do rádio às vezes é instantâneo. Em segundos saí do sono profundo para, em rede nacional, ao vivo, fazer uma pergunta para o ministro da Fazenda.

O meu assustado: "Bom-dia, ministro", que assustou o Sérgio, até hoje faz parte do folclore familiar.

Aquele era apenas um evento de uma longa aventura que ainda trilho, tentando entender e aprender o jornalismo de rádio: flexível, inovador e desafiante.

O começo foi difícil. Eu já tinha muita experiência em jornalismo impresso e alguma em televisão. No início da minha vida profissional fora redatora na Rádio Espírito Santo. Escrevia boletins que seriam lidos por um locutor com aquele vozeirão exigido na época. Mas agora era diferente: eu falaria. O que eu estranhava era a falta da câmera. Para quem eu falava? Aquele ninguém do outro lado me deixava encabulada e então eu escrevia o texto que iria ler.

— Está bom, mas...

Quando o Sidney Rezende falou, eu já torci o nariz. Quer coisa pior do que: está bom, MAS? Essa adversativa mata o bom. Melhor dizer: não está nada bom.

— Está bom, mas... Você deveria falar de improviso. Você está lendo, mas rádio é falado, é mais descontraído – disse Sidney.

Foi o melhor conselho que ouvi. Ao improvisar eu consegui "ver" o ouvinte da CBN. Ele não era mais uma abstração, eu podia sentir sua presença e a conversa com o apresentador deixou de ser, para mim, um diálogo, para ser uma conversa mais ampla, com mais gente. E eu os encontro por aí, o tempo todo, quando sou abordada por gente conversando sobre esse ou aquele comentário. É um gostoso *feedback*.

Mas só foi possível improvisar quando atendi ao apelo de Carlos Alberto Sardenberg para fazer sempre ao vivo. Achei que aquilo me amarraria, até entender que o jornalismo de rádio é aquele que eu levo comigo e faço de onde estiver. Isso já produziu um monte de situações engraçadas.

Certa vez, eu estava entrando no avião e levantando a mala para pôr no bagageiro, quando tocou o telefone e era a hora do comentário. Como não tinha duas mãos livres para guardar a mala, a recolhi, entrei no meu corredor para não atrapalhar mais ninguém além dos meus companheiros de fileira e fiquei comentando. Como tinha que falar mais alto para ser ouvida, o avião inteiro passou a acompanhar o comentário ao vivo, literalmente. Queria ser bem sucinta para acabar logo com aquele constrangimento, mas o Heródoto não parava de perguntar.

– Heródoto, você não está entendendo: estou dentro de um avião, tentando guardar minha mala, a porta já vai fechar e eu estou atrapalhando todo mundo e pagando o maior mico aqui, todo mundo olhando para mim. – O avião inteiro deu gargalhada, confirmando minhas palavras.

Outra vez eu estava chegando a São Paulo, olhando a esteira de bagagem e comecei a fazer meu comentário no programa do Sardenberg. As malas foram passando, passando, e nada de a minha chegar. De repente me vi sozinha e sem mala. Tinha que correr atrás da companhia aérea e, rápido, porque era aguardada em um compromisso.

Expliquei meu drama para Sardenberg e ele quis saber de mais e mais detalhes.

Quando cheguei ao evento para onde eu ia, me impressionei com a quantidade de gente que já sabia do meu infortúnio:

– Achou sua mala? Foi a pergunta que mais ouvi.

As pessoas que estariam comigo no evento foram para lá ouvindo a CBN.

Esse tipo de brincadeira e participação de contratempos da vida pessoal passou a fazer parte dos comentários, que freqüentemente começam com o apresentador me perguntando:

– Onde é que você está?

Percebi que isso fazia parte da notícia. Primeiro porque aproximava o jornalista do ouvinte. Ele se sente mais próximo. Segundo porque atenuava a aridez de determinados assuntos econômicos, aumentando a chance de ser entendida.

O rádio permite brincar. Trabalhar e brincar ao mesmo tempo. Uma dessas brincadeiras ficou bastante conhecida. Foi a que fiz com Sardenberg, certo dia:

— Sardenberg, você escreveu um artigo sobre juros e disse que é preciso dar um corte de macho nos juros. O que é isso? É que eu sou fêmea, não entendo nada desse tal "corte de macho".

Sardenberg se enrolou bastante na resposta. Eu já tinha armado a arapuca. Se ele dissesse forte, eu perguntaria então se para ele mulher era fraca. Se dissesse corajoso, eu diria que então mulher era medrosa. Grande, pequeno. E por aí afora. Ele caiu na arapuca. Fiquei dois dias pondo o Sardenberg em saia justa. O público se dividiu. Vários *e-mails* para a redação. Alguns contra mim, outros contra ele. Havia homem a meu favor, mulher a favor dele. Foi engraçado. O que isso acrescentou à notícia? Ora, ajudou a debater a questão de gênero, uma das grandes questões do século XX e decisiva para saber que mundo teremos nesse mal iniciado século XXI. Além do mais, se o ouvinte der uma boa gargalhada, no meio do trânsito ou do sufoco diário, já teremos feito parte do nosso trabalho. Tocamos notícia o dia inteiro. Por que não um pouco de brincadeira e descontração? Foi o que a rádio permitiu que a gente fosse inventando.

No contato com as fontes a gente vai percebendo que o rádio está sempre ao lado do ouvinte também em qualquer situação. Um dia recebi um telefonema de um contrariado ministro do Supremo:

— Miriam, hoje estava fazendo a barba quando ouvi você me criticando...

Fiquei sabendo assim que esse ministro não desgruda da CBN nem no banheiro. Bom saber.

Quebrei a cabeça muito tempo sobre o que pode ser matéria de um comentário econômico no rádio. Descobri que tudo pode ser matéria-prima, desde que respeitado o formato do veículo. Dentro dessa moldura há um mundo de invenção diária.

Os números têm que ser dados com cuidado. Não se podem empilhar números no ouvido do ouvinte. A matéria de televisão pode usar a arte; o jornal, o gráfico. Ambos usam o recurso visual para representar a evolução do número. No rádio, passei a usar um truque de comentário de televisão, de dizer quantia de forma mais compreensível: usar expressões como o dobro, o triplo, dez vezes mais; falar do número já amparando o ouvinte com a ordem de grandeza para que o dado se torne mais claro.

O rádio engana. Pensa-se que tudo é improvisado e não é exatamente. Deve-se buscar a conversa natural, que flua com facilidade e leveza de um bate-papo, mas antes o comentarista precisa saber o que vai dizer.

Meus comentários da tarde exigem de mim estar conectada na parte da manhã com toda a evolução da notícia econômica. O IBGE divulga seus indicadores sempre às 10h. O Banco Central faz a divulgação dos dados das contas públicas sempre na parte da manhã. Às 8h30 é a hora da divulgação da ata do Copom. Muita coisa acontece na primeira metade do dia. Tanto no IBGE quanto no Banco Central, os diretores ou técnicos concedem entrevistas explicando os detalhes dos números. Um número sozinho não quer dizer nada se ele não for qualificado, se ele não for dimensionado, interpretado, comparado. O comentarista tem que fazer isso. Portanto, eu tenho que estar atenta na parte da manhã aos indicadores divulgados e tenho que entendê-los para explicá-los. Isso exige não apenas ler os releases ou as matérias on line. Requer acompanhar a expectativa com que o número é aguardado. Tenho que estar, portanto, em contato com os analistas do mercado financeiro para saber o que eles esperam dos números principais. Não basta me informar depois de a notícia ser divulgada. Tenho que saber instantaneamente se o número é bom, ruim, surpreendente, animador, decepcionante. Às vezes estou em deslocamento, nem vi ainda a notícia divulgada, nem tive tempo de conversar com alguém, tive uma manhã desconectada. O telefone toca e eu tenho que ter algo para dizer. O apresentador vai me perguntar:

– E aí, o que esse número significa?

Eu tenho que ter algo a dizer a respeito. Há na maioria das vezes uma combinação prévia do assunto a ser analisado, mas nem sempre é possível. Mesmo quando há tempo, é pouco tempo. Isso significa que tenho que ter acumulado informações anteriores e ter em mente o calendário de divulgação dos indicadores.

Há uma idéia equivocada de que comentarista é aquele que detém todo o conhecimento, entende do assunto e, portanto, pode falar instantaneamente sobre qualquer tema. Isso não é ser comentarista, é ser palpiteiro. Só comenta bem quem se informa o tempo todo. Portanto, anterior ao trabalho de comentário vem o trabalho de repórter. Só é bom comentarista quem se mantém repórter ao longo da vida toda. A opinião tem que estar baseada em estudo, consulta, comparação, informação. Mas só o trabalho de repórter não basta, porque eu tenho que ter algo mais do que o boletim do repórter.

Além disso, o comentarista tem que ampliar a visão para os lados. Se é o dado do PIB, eu tenho que saber como outros países estão se desempenhando naquele período para concluir se o Brasil está bem ou mal comparado com o restante. Se cresceu ou caiu, eu preciso saber que número é explicativo daquele movimento. Tenho que olhar por dentro do número. Tenho que ver, por exemplo, quando sai um número bom de crescimento, que há um problema lá na Formação Bruta de Capital Fixo e dizer: olha, o país cresceu e isso é bom, mas não está havendo investimento. Isso significa que o país cresceu esse trimestre, porém não tem fôlego para crescer muito mais.

A informação tem que ser precisa, o dado tem que estar apurado, o argumento tem que estar claro na cabeça do comentarista antes de começar a conversa. A diferença entre as várias mídias é que na televisão o comentarista tem que estar lá presente fisicamente. Isso dá a ele tempo de pensar no que dizer. O jornal é escrito e por isso há muito mais tempo para a construção do argumento. O rádio é feito de qualquer lugar, eu já fiz comentário no aeroporto, na rua, no táxi, de onde estivesse. Uma vez fiz um comentário dentro do *set* do programa da Globonews, no qual entraria ao vivo às 8h30. E o comentário era às 8h25 e duraria no mínimo três minutos. Os meus entrevistados acompanharam nervosos eu falando e o programa quase entrando no ar. Foi emocionante! Uma outra vez eu estava no meio de um *chat* no Globo.com. Atendi ao telefone da CBN e disse aos internautas que acompanhassem o comentário que estava, naquele momento, fazendo na CBN. Fiz o comentário e voltei ao *chat* informando a eles que o jornalismo era assim nervoso nos dias atuais – e conversamos um pouco sobre isso.

Às vezes nem tenho tempo de parar e organizar o raciocínio. Isso exige o exercício de estar preparado para os variados assuntos que entram na pauta diária do jornalista de economia. O fato de ser uma conversa é em si um exercício de tornar mais claro o argumento, de escolher as melhores palavras, as que têm um entendimento mais universal. O jornalista de assuntos da área econômica se acostuma, por ouvir demais, com palavras que pertencem ao mundo dos especialistas em economia. Mas o bom jornalista faz seu trabalho em bom português porque ele tem que falar para quem não domina aquele palavreado. O rádio empurra o jornalista para as melhores palavras, as mais claras e para longe do jargão.

Entendi, na prática, que às vezes a gente sabe mais do que imagina e, dependendo do âncora, ele vai aos poucos tirando de você outros detalhes. A CBN tem essa vantagem: há uma quantidade impressionante de inteligência no ar. Mesmo os substitutos dos titulares, nas férias, faltas e afastamentos de qualquer natureza, não deixam cair a peteca. Entram no mesmo tom, puxando os comentaristas. Acho que o rádio conseguiu fazer melhor essa interação entre apresentador e comentarista.

Essa forma natural de se colocar traz uma dificuldade operacional. O comentário não consegue ter um tempo determinado. A gente freqüentemente "estoura" o tempo dado. Na televisão é muito mais difícil, principalmente a televisão aberta, que tem uma grade de programação inflexível. O jornalismo tem que negociar com o entretenimento, previamente, cada minuto de estouro. É natural. O resultado é que é mais fácil ser descontraído e natural, é mais fácil improvisar e inventar no rádio do que na televisão. O público estranha a diferença de tom e de estilo que isso empresta a cada jornalista. Um dia fui abordada num aeroporto por um ouvinte:

– Miriam, por que eu gosto tanto de você na CBN, acho você tão simpática e até engraçada, e na televisão você é diferente?

– Na televisão eu tenho o tempo muito contadinho – expliquei.

Cada veículo tem seu ponto forte. A CBN conseguiu tirar o melhor do veículo e é parte do renascimento do rádio brasileiro, o que ampliou o espaço da notícia.

As mídias vão se somando e não se substituindo, como muitos previram. Achava-se que a televisão mataria o rádio, que a Internet liquidaria os jornais. E isso não aconteceu. O que houve é que um levou ao outro e o público consumidor de informação está se ampliando. Há vários desafios para os produtores de conteúdo na escolha da melhor plataforma, ou na busca da convergência entre as mídias, mas as respostas têm sido sempre surpreendentes, transformando o jornalismo numa profissão que muda de forma veloz e constante.

Fico feliz de ter estado no projeto que tem explorado todas as possibilidades de uma rádio de notícias. Sei que continuaremos inventando no futuro, nos transformando e ouvindo os nossos ouvintes. O futuro das comunicações não pode ser inteiramente previsto, por causa da velocidade das mudanças tecnológicas e das inesperadas novidades criadas pela tecnologia. Mas o que a CBN mostrou é que é preciso navegar com a mudança, ampliando e explorando as possibilidades de fazer o que qualquer jornalismo tem que fazer para justificar sua existência: passar informação o mais rapidamente possível, oferecendo ao mesmo tempo o máximo de reflexão sobre as conseqüências daquela informação. É o que continuaremos perseguindo nos próximos anos.

CBN, A RÁDIO QUE JÁ TOCOU MÚSICA

A rádio que toca notícia já tocou música. Isso ocorreu bem no início das transmissões da CBN, quando havia os chamados "bolsões musicais", que tiveram vida curtíssima e desapareceram ao fim da primeira semana de funcionamento da emissora. Quem relembra a experiência é o diretor de jornalismo da CBN na época de sua criação, Jorge Guilherme: "Tive de fazer concessões e uma delas foi que houvesse os tais 'bolsões musicais', que deveriam conter informação. Evidentemente que não era o ideal, já que todos nós brigávamos por uma rádio all news." Logo depois, segundo relato de Jorge Guilherme, o vice-presidente das Organizações Globo João Roberto Marinho ligou para a redação da CBN e, educadamente, disse a Jorge Guilherme: "Não é o diretor que está falando, é o ouvinte: esta rádio não comporta mais música." Eram 10h. Cinco minutos depois os "bolsões musicais" estavam fora do ar para sempre e a CBN passou a ser, genuinamente, a rádio que toca notícia.

Um comentário de sete horas

Os comentários de Lucia Hippólito diariamente em seu boletim "Por dentro da política", todas as manhãs no Jornal da CBN, costumam ser curtos, diretos e implacáveis. Doa a quem doer. Mas no dia 14 de junho de 2005, quando o Brasil parou para ouvir o depoimento do então deputado Roberto Jefferson na Comissão de Ética da Câmara dos Deputados, Lucia viveu uma experiência inédita, marcante e inesquecível em sua carreira de comentarista na CBN, onde está desde 2002: durante mais de sete horas, ela comentou as denúncias de Jefferson sobre o esquema do mensalão que deflagraram a maior crise do Governo Lula. "Eu fiquei o tempo todo no ar, ao vivo, discutindo aspectos do depoimento, analisando o comportamento de deputados e senadores, conversando com âncoras e repórteres da CBN que acompanhavam o caso na sala da Comissão de Ética. Foi fascinante comentar aqueles momentos que chocaram a nação", resume Lucia.

Coragem de mudar

Juca Kfouri

ÂNCORA DO CBN ESPORTE CLUBE

Osmar Santos significou uma revolução nas transmissões esportivas radiofônicas nos anos 1970. Existia um estilo antes dele, passou a existir outro depois. E não só nas transmissões dos jogos, embora fosse nelas que sua marca mais se impusesse. Também o jeito de fazer jornalismo esportivo em rádio mudou sob a batuta de Osmar Santos — mais arejado, mais crítico, mais leve e bem-humorado. ❧ Entraram para a História, por exemplo, suas tabelinhas com o então repórter de campo Fausto Silva, verdadeiros *shows* de agilidade mental. Mas Osmar Santos teve de parar e de lá para cá pouca coisa evoluiu no rádio esportivo nacional. Os vozeirões, a entonação exagerada, a gritaria, a crítica superficial, a promiscuidade com os cartolas e a informação secundária teimam em resistir e em sobreviver, para não falar na falta de critério que transformou tanta gente em garotos-propaganda (único pecado de Osmar, registre-se). Sim, porque se mandar abraços já não é exatamente jornalismo, jornalista que faz "merchan" deixa de sê-lo, por óbvio conflito de interesses.

Ao dar seu testemunho para vender, por exemplo, a cerveja A, B ou C, quando não todas elas em curto espaço de tempo, o jornalista vende sua credibilidade. É até engraçado ouvir "jornalistas" criticarem a falta de amor à camisa dos jogadores de futebol e constatar como, nas mesmas vozes, a cerveja B passa a ser melhor do que a A num simples passe de mágica.

Como propagandear a marca de qualquer produto que patrocina a seleção brasileira, ou um clube, sem que o ouvinte tenha o direito de supor que a independência do jornalista está comprometida? Dá para fazer anúncio de banco e ser comentarista econômico ao mesmo tempo? Pois é. No esporte também não dá ou não deveria dar, embora não seja assim na esmagadora maioria das emissoras. Há exceções, é claro, e a CBN é uma delas. E não é que a CBN não obrigue seus jornalistas a fazer propaganda. A CBN simplesmente os proíbe de fazer, felizmente. Significa dizer, então, que somos contra a propaganda? Ora, é evidente que não, porque poderíamos até ser malucos, idiotas jamais. Apenas temos a convicção de que, não é de hoje, existem os espaços adequados para as mensagens comerciais, para que não se confunda a cabeça do ouvinte, do leitor, do telespectador. Tão simples como isso.

Aqui, abro parênteses. Sempre fui ouvinte de rádio e neste 2006 dos 15 anos da CBN completo 36 de profissão. Se trago um arrependimento na carreira, este é, exatamente, o de não ter começado a fazer rádio muito antes. Até preconceito eu tinha, além de não ter voz para tanto. Minhas experiências no meio praticamente se resumiam a gravar boletins, por telefone, até que, em 2000, Agostinho Vieira, então diretor de jornalismo da CBN, apareceu para me provocar a fazer o CBN Esporte Clube. Santo Agostinho! Gosto tanto do que faço na CBN que a única bronca que levei nesses anos todos foi porque invadi em quase meia hora o programa seguinte, o CBN Noite Total. De fato, um exagero e um merecido puxão de orelhas. Costumo dizer que pagaria para fazer o programa, porque sairia mais barato que pagar um terapeuta. Mas, ao contrário, ainda recebo para fazê-lo. Com total independência, marca registrada da emissora, e com muito, mas muito prazer. Fechemos a pausa confessional.

Paulo Mendes Campos um dia escreveu que a imprensa esportiva brasileira precisava ter sua Semana de Arte Moderna. Não estava pensando especificamente em rádio, mas cabe.

É preciso entender que o ouvinte não é um ser passivo. Ele cada vez mais quer ser convidado a participar de uma conversa e que ninguém lhe imponha coisa alguma, ainda mais aos gritos. É o que tentamos fazer no CBN Esporte Clube. Primeiro com Éverson Passos, depois com Victor Birner e com André Sanches, quase sempre com Renato Maurício Prado; buscamos bater papo com o ouvinte, estimular sua participação. Por *e-mail*, ou, principalmente, pela sua intervenção dentro do carro, em casa e no computador.

Achamos que o esporte não se restringe ao que acontece no limite das competições. É muito mais do que isso. Alguém já disse, com razão, que o futebol, por exemplo, imita a vida. E vice-versa.

Falar de futebol é falar ao coração, mas, também, à cabeça do ouvinte. Informar e formar, noticiar e criticar, enaltecer e denunciar, em resumo, são o nosso papel. Emocionar e entreter, brincar e falar sério completam o quadro. Todos nós ouvimos que a TV mataria o rádio e o cinema, que a Internet sepultaria os jornais, e nada disso aconteceu nem acontecerá. O rádio teve que mudar, as salas de cinema se modernizaram, os jornais impressos estão em busca de novos modelos e os encontrarão, mais cedo ou mais tarde, no aprofundamento do noticiário. A CBN, certamente, faz parte da mudança e em muito tem contribuído para radicalizá-la. Imaginar que o futebol se restringe às peripécias feitas com uma bola é pouco cidadão e muito cômodo. Ainda mais aqui, no Brasil, o chamado "país do futebol".

Pelo futebol muito do patropi se explica e, como já disse o sociólogo Gabriel Cohn, brilhante professor de sociologia da USP, "cientista social que não tiver os fundilhos das calças puídos pelos bancos dos botequins e das arquibancadas" não entende este país. O gol, o passe, o drible, ah, o drible, o treino, a contusão, a contratação, o esquema tático, tudo isso é muito importante, razão de ser do futebol. Como os bastidores também o são. Jogar luz sobre eles é essencial para que uns expliquem os outros e, principalmente, para que o torcedor/ouvinte/leitor/telespectador, numa palavra, o cidadão, se informe sobre os meandros de sua paixão. Para tanto é fundamental o exercício independente do jornalismo, sem promiscuidade com o poder, sem privilegiar os amigos, patrocinadores ou governos.

Millôr Fernandes já disse que "jornalismo é oposição, o resto é armazém de secos e molhados", e tem razão. Supor que o jornalismo esportivo deva ser voltado apenas ao entretenimento, ao descanso do ouvinte já tão cansado pelas agruras do dia-a-dia, é apenas escapismo em busca do não-comprometimento. Porque a função do jornalista é muito mais mostrar o que está errado do que aplaudir o que está certo, embora, é claro, uma coisa não impeça a outra. E fazer jornalismo esportivo com seriedade não é, necessariamente, fazê-lo sem bom humor. O sarcasmo, a ironia, a graça, aliás, são talvez as mais poderosas armas da crítica. E jornalista que não lutar para melhorar a esquina de sua rua, sua cidade, seu país, o mundo, é alguém que errou de profissão. Daí ser esta, no limite, uma profissão solitária. Entre o amigo e a notícia, não cabe dúvida: por doído que seja, publique-se a segunda. O mesmo vale para as fontes que, por sinal, são melhores na oposição do que na situação.

Certa vez um repórter perguntou a um craque por que os jogadores sempre davam as mesmas respostas. O atleta respondeu: "Porque as perguntas são sempre as mesmas!" Mudar não é fácil e requer, antes de tudo, coragem. Essa coragem a CBN tem mostrado ao tentar inovar em seu jornalismo esportivo, sem medo de errar, porque o erro faz parte. Parece claro que estamos entrando em uma nova era para o rádio, estimulada pelos automóveis nos grandes centros urbanos (benditos congestionamentos, hein?), pelos novos meios como a Internet, pela popularização das FMs e, principalmente, por um modelo que privilegia o conteúdo na aposta pela mudança da forma. E, cada vez mais, grandes jornalistas, não apenas ótimos radialistas, assumem espaços importantes, outra característica da CBN.

Há muito para se fazer, sem dúvida, mas seria injusto não constatar que o progresso é óbvio, não tivesse a CBN a audiência e o prestígio que tem, invariavelmente, segundo as pesquisas, a emissora de maior credibilidade do rádio nacional. Graças a uma equipe ideologicamente heterogênea, composta por profissionais muitas vezes com visões opostas, mas que se complementam em torno de uma idéia tão simples como difícil: fazer bom jornalismo.

Porque a controvérsia precisa aparecer, os debates têm de ser travados, antes, durante e depois de irem ao ar. Das mais simples, como se o jornalista deve ou não declarar por qual time torce (uma das polêmicas mais apreciadas pelo são-paulino Victor Birner), às mais complexas, sobre o mito da objetividade e a busca de verdade. Num ponto, no entanto, todos estamos de acordo: a verdade factual é sagrada. Sabemos, também, que nós, jornalistas, erramos. E muito. Razão pela qual não temos vergonha de fazer o óbvio: as devidas correções. Já perdi a conta de quantas vezes me mandei para o chuveiro no CBN Esporte Clube. E, cá entre nós, se aos 15 anos já chegamos ao patamar em que estamos, imagine aos vinte.

Em tempo: Osmar Santos ouve a CBN.

Quatorze minutos de sufoco

Até 11 de outubro de 2005, o repórter esportivo Leandro Lacerda já havia narrado inúmeros jogos de botão, rachas de rua e partidas de videogame. Mas isso era coisa do passado. Naquela noite, um engarrafamento reteve por horas o narrador da CBN Evaldo José, e Leandro, escalado para atuar como repórter atrás do gol, não teve saída: correu para a cabine, pôs o fone de ouvido, ligou o microfone. Estava diante dos jogadores de Flamengo e Atlético-MG, já em campo, prontos para a partida. Foram apenas 14 minutos de narração até que o locutor chegasse ao estádio e assumisse a transmissão, mas o bastante para que Leandro mostrasse talento para a narração esportiva. "No momento em que a bola rolou, pensei: aqui estou, não dá mais para voltar. Aí busquei inspiração no próprio Evaldo José e no comentarista Luiz Mendes, da Rádio Globo, que foi locutor esportivo durante anos: ambos começaram a narrar futebol no susto, também em situação adversa", conta Leandro, que confessa terem sido aqueles 14 minutos os mais tensos de sua vida. Tensão de um lado, oportunidade de outro. A partir de então, em situações bem mais tranqüilas, ele teve a oportunidade de narrar jogos integralmente. Hoje, apenas alguns meses após seu batismo de fogo, Leandro é um dos locutores de futebol da CBN Rio.

Na hora "H", Rádio Notícia sai do ar

O nome CBN foi escolhido de última hora. Estava tudo certo para que se chamasse Rádio Notícia, mas um fato mudou o rumo dessa história. Pouco antes do lançamento da emissora, a Rádio Eldorado, de São Paulo, fez campanha apresentando-se como "a rádio notícia". Jorge Guilherme, o primeiro diretor de jornalismo da CBN, conta que não havia impedimento jurídico para que a emissora se chamasse Rádio Notícia, mas que José Roberto Marinho, que estava à frente do projeto, preferiu mudar o nome. "A saída foi corrermos para nomes baseados em letras e CBN foi o que mais agradou a todos os responsáveis pela decisão", lembra Jorge Guilherme. A marca, hoje conhecida em todo o país, foi difundida rapidamente graças às campanhas de lançamento da emissora. "O nome pegou também pela participação dos publicitários, que fizeram uma campanha muito boa com o slogan 'a rádio que toca notícia', criado pela agência de Nizan Guanaes e marcante até hoje", conclui Jorge Guilherme.

Cobertura local 24 horas por dia

Leonardo Stamillo

CHEFE DE REPORTAGEM EM SÃO PAULO

– Alô, é da CBN?

– Isso.

– Você é jornalista? É que eu queria falar sobre o que está acontecendo...

❖ A tarde daquela terça-feira, dia 22 de março de 2006, estava tumultuada. Eu tinha uma repórter na Bahia acompanhando o presidente Lula durante uma verdadeira peregrinação por obras que seriam vistoriadas; outro fechando uma reportagem sobre as vaias recebidas pelo governador de São Paulo, Geraldo Alckmin, pré-candidato à presidência pelo PSDB; três pessoas monitorando uma série de rebeliões que haviam começado no dia anterior e já atingiam cinco penitenciárias paulistas e, como acontece em quase todas as tardes de março em São Paulo, chovia. Chovia o suficiente para prejudicar o trânsito e o transporte público na cidade. Em dias assim, os telefones chegam a ficar roucos de tanto tocar.

– Sobre o que exatamente o senhor quer falar? O senhor pode mandar sua pergunta para o estúdio por *e-mail*.

– Não é uma pergunta. Escute: eu trabalho em uma penitenciária. Todo mundo já sabia que essas rebeliões iam acontecer. Nós recebemos um aviso.

– Um aviso de quem?

– Da Secretaria de Administração Penitenciária. Eles sabiam que os presos estavam planejando uma série de rebeliões coordenadas. Era para ser em 27 unidades.

A prioridade da CBN é a notícia, seja local, nacional ou internacional. O desafio é atender à demanda pela prestação de serviços – notícias de trânsito, previsão do tempo, condições das estradas – e cobrir as notícias relacionadas à gestão e à vida das pessoas nas cidades, sem abrir mão da cobertura nacional. Quando você acha que está tudo sob controle, as principais notícias sendo apuradas e transmitidas, um telefonema pode mudar tudo. Pode, como aconteceu naquela terça, render a matéria do dia.

Minha conversa com o agente penitenciário acabou rapidamente. Quinze minutos foram suficientes para "sentir" que a história poderia ser boa e para convencê-lo a gravar uma entrevista. Esta é uma das vantagens do rádio: numa emergência, nós conseguimos gravar entrevistas por telefone sem perder as características do veículo, o que não acontece quando a televisão faz esse tipo de gravação.

Enquanto a repórter Cristina Coghi gravava com o agente, eu seguia tentando um contato com a Secretaria de Administração Penitenciária. Agora, além das rebeliões, nós tínhamos uma denúncia. Parecia evidente que o secretário Nagashi Furokawa, que até então havia se esquivado, teria que falar. A entrevista com o agente nem tinha acabado e nós já estávamos tentando ouvir mais funcionários das penitenciárias. Durante uma rápida reunião com o coordenador de jornalismo, Zallo Comucci, ficou acertado que levaríamos a história adiante apenas se tivéssemos mais indícios de que a Secretaria realmente sabia da articulação das rebeliões. Em pouco mais de quarenta minutos – de muitas ligações e mais três entrevistas – a reportagem já estava no ar em rede nacional. E sem a participação do secretário. Segundo a própria equipe dele, Furokawa temia que novas revelações comprometessem a segurança em outras unidades prisionais.

Antes de mais nada, o trabalho da chefia de reportagem é fazer com que a história apurada pelos repórteres possa ser contada. Do momento em que a reportagem nasce, como pauta, até ser recebida pelos ouvintes, há uma série de entraves que pode fazer com que o assunto em questão não saia do papel. O exemplo das rebeliões em São Paulo ilustra bem a capacidade de improviso e a sensibilidade que a equipe tem que ter para perceber a importância de uma notícia e tentar viabilizá-la. Mas essa não é regra. Em geral, é possível fazer um planejamento daquilo que vai acontecer ao longo do dia, o que não significa que tudo será seguido à risca.

Os chefes de reportagem do período da manhã de São Paulo, Rio de Janeiro e Brasília, ao lado de seus coordenadores regionais, participam todas as segundas-feiras de uma reunião, via teleconferência, com a direção de jornalismo da CBN. Cabe às chefias apresentar todas as pautas que estão programadas para aquela semana em suas respectivas áreas de cobertura. As demais afiliadas (nossa rede é formada atualmente por 25 emissoras) enviam suas sugestões por *e-mail*: são seminários, visitas de autoridades políticas nacionais e internacionais, divulgação de índices econômicos ou pesquisas, manifestações, depoimentos que serão tomados pela justiça e uma infinidade de outros assuntos sugeridos pela própria redação ou por ela recebidos de gabinetes e assessorias de imprensa. A reunião de pauta define quais serão as prioridades da semana e que tipo de tratamento será dispensado a cada uma delas – se faremos entrevistas sobre o assunto, cobriremos com reportagem, montaremos uma versão maior e mais explicativa para o final de semana etc. Como a possibilidade de que novos assuntos sejam adicionados e retirados da pauta ao longo da semana é enorme, todos os dias as chefias de reportagem de cada um dos horários trocam mensagens e telefonemas com a gerência e a direção de jornalismo para que os devidos ajustes sejam feitos. A definição das prioridades é fundamental porque, obviamente, a demanda da pauta é muito maior do que a oferta de repórteres. Isso muitas vezes obriga o chefe de reportagem a apostar em determinados assuntos.

Há dias em que a distribuição das pautas entre os repórteres é uma tarefa simples: temos quatro boas pautas e quatro jornalistas para cobri-las; as chefias então direcionam as matérias de acordo com o perfil e as afinidades de cada integrante de sua equipe. Mas há dias em que simplesmente tudo acontece: todos os ministros resolvem cumprir compromissos importantes na cidade, líderes partidários se trancam em reuniões decisivas para a escolha de futuros candidatos, a polícia prende quadrilhas de estelionatários, traficantes, assaltantes, contrabandistas, seqüestradores e, de repente, quando até o editor já foi fazer matéria na rua, alguém grita:

– Tiroteio na 25!

Em 99,9% dos casos esse alguém é o apurador. Os apuradores, também chamados de escutas, são o braço direito (quem sabe até os dois!) do chefe de reportagem. São jornalistas que checam periodicamente com polícia, bombeiros, órgãos que gerenciam o tráfego de veículos, concessionárias de rodovias, ministérios públicos e uma dezena de outras fontes se alguma coisa está fora de ordem na cidade. O apurador é sempre o primeiro a ficar sabendo sobre um acidente em uma via importante, o incêndio de um prédio, o congestionamento em uma estrada ou, como no caso da história que comecei a contar, sobre o tiroteio envolvendo homens da Guarda Civil no principal centro de comércio popular de São Paulo. Todos os dias, quatrocentas mil pessoas passam pelas lojas da Rua 25 de Março. Eu tinha uma notícia importante e nenhum repórter disponível. Era a hora de fazer uma aposta.

Nos Jardins, bairro nobre da capital paulista, Marcela Guimarães fazia plantão na porta do hotel onde se hospedara o presidente do PSDB, Tasso Jereissati. Ele estava na cidade para uma reunião do partido, mas as assessorias do senador e do PSDB já haviam informado que o encontro seria fechado; não haveria entrevistas. Ninguém sabia ao certo nem mesmo onde a reunião aconteceria. O prognóstico fez com que a escolha fosse óbvia. Enquanto Marcela Guimarães se deslocava para a Rua 25 de Março, a notícia já estava sendo transmitida por um de nossos apuradores. No rádio nós estamos sempre atrasados: a partir do momento em que alguma coisa acontece um relógio imaginário dispara. A qualidade da prestação de nosso serviço para o ouvinte é diretamente proporcional à velocidade e precisão do noticiário que colocarmos no ar. Essa talvez seja a principal equação a ser resolvida por todos os profissionais de radiojornalismo. O imediatismo do rádio, valorizado como uma de suas principais virtudes, pode também ser seu maior desafio.

Noticiar um fato ao mesmo tempo em que ele acontece não é uma tarefa simples. É preciso ter agilidade na checagem das informações, é preciso cruzar dados, ouvir o maior número possível de pessoas envolvidas para tentar se aproximar ao máximo da verdade. Participar da cobertura de episódios ao vivo, como o tiroteio na Rua 25 de Março, é sem dúvida um momento especial tanto para o repórter quanto para nós que estamos na redação. Não há tempo para escrever boletins, é quase tudo feito de improviso, com base na observação e apuração dos fatos. O repórter traz as impressões locais e nós complementamos com detalhes de outras fontes. Nesse tipo de cobertura o erro é uma ameaça constante. Você está vendo a história acontecer e muitas vezes alguns fatos que são dados como certos acabam, no final do dia, se transformando apenas em versões. O noticiário em tempo real exige que o jornalista saiba identificar quais informações são essenciais para o ouvinte, como lembra a coordenadora de jornalismo da CBN Brasília, Edleusa Macedo: "A principal preocupação é evitar precipitações. As informações mais detalhadas, como a existência e o número de vítimas em um acidente, só vão ao ar depois de confirmadas por mais de uma fonte."

O próprio tiroteio na Rua 25 de Março evidencia como as informações podem chegar truncadas à redação. Em princípio, havia versões contraditórias: quatro pessoas estavam feridas depois que um vendedor ambulante teria tomado o revólver de um guarda civil durante uma *blitz*, mas, segundo outras fontes, as vítimas teriam sido baleadas numa tentativa de assalto a uma loja. No final do dia, as duas versões estavam corretas! De fato houve o episódio envolvendo o vendedor ambulante e o assalto a uma loja, a poucos metros de distância um do outro. Uma pessoa morreu e duas ficaram feridas na ação envolvendo o camelô e mais duas pessoas foram baleadas durante a tentativa de assalto.

Eu vivi uma dessas situações ainda na apuração da CBN. Durante uma checagem de rotina, soube que duas pessoas tinham morrido depois que um grupo assaltara uma das praças de pedágio da Rodovia Castelo Branco.

Mais três ou quatro telefonemas e nós descobrimos que, na verdade, 12 supostos integrantes de uma facção criminosa tinham sido mortos pela polícia, numa ação coordenada envolvendo mais de cem homens e que teve enorme repercussão por vários meses.

O quebra-cabeça de informações durante as coberturas ao vivo é embaralhado ainda mais pelos interesses das próprias fontes. Como bem define Edleusa Macedo, "em determinadas situações existe um verdadeiro boicote das autoridades, que não querem divulgar precisamente o que está acontecendo". Helena Tanaka, chefe de reportagem do turno da noite em São Paulo, lembra-se de um exemplo clássico envolvendo a Fundação Estadual para o Bem-Estar do Menor, a Febem: "O sindicato que reúne os funcionários da Febem é o primeiro a ligar ao menor sinal de uma rebelião. E muitas vezes ela nem aconteceu de fato. Já a assessoria de imprensa da própria Febem retarda ao máximo a confirmação de um motim, até quando os helicópteros já sobrevoaram o local e flagraram que a unidade está fora de controle." Nesses casos, o ideal é buscar fontes paralelas – pessoas que podem dar informações sobre a situação, mas que não têm vínculo direto com a questão. Bene Corrêa, chefe de reportagem da manhã em São Paulo, trabalhou no caso que ficou conhecido como Massacre do Carandiru: "O governo dizia que dez presos haviam morrido. Essa era versão oficial. Nós não tínhamos acesso ao Pavilhão 9. Foi preciso conseguir uma fonte no Instituto Médico-Legal para descobrirmos mais de cem corpos."

Todas essas situações revelam a importância do trabalho em equipe. Já foi o tempo em que os repórteres de rádio fechavam suas matérias absolutamente sozinhos – apesar de isso eventualmente ainda acontecer. O grau de autonomia dos profissionais é bastante grande, mas a própria velocidade da cobertura e a cobrança sobre a precisão das informações, a qualidade do texto e o tempo da reportagem fazem com que o papel do apurador, do editor e do chefe de reportagem, seja cada vez mais importantes.

No caso das chefias, esse papel não se limita à discussão de como a reportagem será escrita ou qual informação deverá ser priorizada; não raro, o trabalho da chefia extrapola a avaliação jornalística, como conta Luciano Garrido, chefe de reportagem da tarde no Rio de Janeiro, lembrando mais um caso de grande repercussão:

"Eu tive que conversar muito com a repórter que estava cobrindo o assalto com reféns no ônibus 174, no Jardim Botânico, em junho de 2000. Quando o assaltante ameaçou matar as pessoas, ela ficou descontrolada. Falei sobre a importância do relato dela, que as pessoas precisavam saber o que estava acontecendo, até que ela se acalmou e fez um ótimo trabalho." Mariana Gross, hoje na TV Globo, estava começando a carreira de repórter. Pelo celular da rádio conversava com Garrido e pelo aparelho pessoal falava com a mãe, que pedia, desesperada, para ela sair de lá.

O envolvimento emocional dos jornalistas com a cobertura reforça a importância da participação de toda a equipe na preparação tanto das entradas ao vivo quanto das reportagens gravadas. A própria distância física do local onde a notícia está acontecendo favorece uma reflexão mais imparcial. Por mais experiente que o jornalista seja, a adrenalina e a tensão podem abalar sua capacidade de discernimento, o que faz com que a relação entre a chefia de reportagem e o repórter, às vezes, acabe sendo tensa. O jornalista que está na rua acredita ter sempre as informações corretas sobre o caso, afinal, ele ouviu as pessoas, viu as coisas acontecerem e, exatamente por isso, todos os detalhes parecem importantes. Lembro-me de muitas reportagens que traziam números de delegacias, nomes de fiscais, o currículo inteiro de entrevistados importantes e que deixavam de lado a notícia. O principal ficava perdido entre detalhes secundários.

Há situações, porém, em que o detalhe faz toda a diferença. Durante a cobertura da queda de um avião Fokker 100 da TAM, que matou 99 pessoas em 1996, toda a imprensa estava divulgando que a aeronave ia para Brasília. A repórter Luciana Marinho, que à época ficava direto no aeroporto de Congonhas, tinha outra informação: "Quando eu falei no ar que o avião ia para o Rio de Janeiro, o próprio Heródoto Barbeiro saiu do programa e pegou o telefone para falar comigo. Ele queria saber com quem eu tinha apurado a notícia. Então ele pediu que eu falasse o nome do assessor da presidência da TAM, que foi quem tinha confirmado o destino real do vôo." Luciana lembra que familiares dos passageiros que voariam para Brasília naquela manhã chegavam desesperados ao aeroporto, em busca de notícias sobre o acidente. A notícia, nesse caso, dependia do detalhe.

A queda do avião foi noticiada logo para todo o país, dada a proporção do acidente, mas tanto a cobertura do assalto ao ônibus 174, no Rio, quanto o tiroteio na Rua 25 de Março, em São Paulo, começaram a ser transmitidos apenas para as respectivas cidades, antes de ganharem espaço no noticiário nacional. Nós avaliamos a todo momento quando a notícia passa a ter interesse para os ouvintes de outras localidades e, com base nessa análise, decidimos quando o repórter vai entrar no ar. A programação da CBN é voltada para a rede, ou seja, quase todos os programas são transmitidos para as 25 emissoras. Apenas o horário entre 9h30 e 12h é exclusivamente destinado às notícias da cidade, lembrando, é claro, que a cada meia hora todas as afiliadas entram com a mesma programação: o Repórter CBN.

Para manter os ouvintes informados sobre o que acontece nas cidades, mesmo durante as faixas de horário nacionais, os programas possuem blocos locais destinados especificamente a esse tipo de cobertura. Por exemplo: o Jornal da CBN, apresentado das 6h às 9h30, faz quatro intervalos de cinco minutos a cada hora, às 6h10, 7h10, 8h10 e 9h10 dois intervalos são emendados em um bloco de dez minutos de noticiário local. Isso porque a demanda por notícias de trânsito, estradas, aeroportos e a previsão do tempo para o dia que está começando é enorme. Assim como é enorme no fim do dia, durante a segunda edição do Jornal da CBN, quando repetimos a idéia do bloco de dez minutos. Ocorre que, como a CBN é uma rede, todas as afiliadas teriam que preparar esses blocos de dez minutos de notícias locais. Mas não são todas as cidades que têm volume de informações suficiente para isso e/ou não é toda afiliada que tem gente suficiente para produzir todo esse conteúdo. Para evitar "buracos" na programação, a CBN de São Paulo, de onde são gerados os programas, produz um noticiário nacional que é transmitido como uma opção para a rede. Ou seja: enquanto o âncora do jornal apresenta o bloco local para São Paulo, um locutor, simultaneamente e em outro estúdio, comanda dez minutos de notícias nacionais para as integrantes da rede que quiserem. Assim nós garantimos a prestação de serviços e a cobertura de questões importantes da cidade, sem abandonar a rede e sem fazer com que o ouvinte de Manaus receba boletins sobre o tráfego na Avenida Paulista.

A importância das notícias locais no rádio é ainda maior em situações de emergência como greves ou outros tipos de problemas no sistema de transporte público, grandes protestos e enchentes. Em 2005, na última semana de maio, São Paulo viveu uma de suas piores enchentes. Foram dois dias de chuva forte, ininterrupta, que provocaram dezenas de pontos de alagamento, a destruição parcial do terceiro maior centro atacadista de alimentos do mundo e o fechamento do Terminal Rodoviário do Tietê, principal ponto de entrada e saída de ônibus da cidade. A situação era tão grave que nós invertemos a lógica do Jornal da CBN: Heródoto Barbeiro acabou apresentando praticamente um programa local com intervalos nacionais, que também transmitiam informações sobre a situação na cidade, só que mais genéricas, suficientes apenas para manter o ouvinte de todo o país informado sobre o que estava acontecendo na maior cidade da federação. Concentramos o trabalho de todos os repórteres na cobertura dos incidentes provocados pela chuva. Foram 14 horas de trabalho contínuo, parte delas apenas para conseguir chegar até os pontos mais atingidos pela enchente. Helena Tanaka passou a madrugada presa no enorme congestionamento formado na marginal do Rio Tietê, que não transbordava havia dois anos, mas que acabou invadindo as pistas nos dois sentidos da via; Thiago Barbosa, repórter e locutor, atravessou uma avenida inteira com água pela cintura para poder chegar até o helicóptero da CBN; ouvimos e contamos o drama de pessoas que perderam familiares e parte de suas próprias vidas pela força da água, que derrubou casas, destruiu móveis e carros.

A recompensa dos profissionais que trabalharam naqueles dois dias foi saber, no decorrer da semana, conforme chegavam mensagens dos ouvintes, que nossas informações orientaram motoristas presos nos alagamentos, alertaram as autoridades sobre os pontos mais críticos e tranqüilizaram pessoas que aguardavam por socorro.

Mas o jornalista não vive só de tragédias, assim como o noticiário local não se resume à prestação de serviços. A exemplo do que acontece na cobertura nacional, nossa intenção é manter o ouvinte informado sobre os assuntos mais relevantes e que terão impacto na sua vida; é ajudar a formar, a partir da exposição e do debate de idéias, a massa crítica necessária para o exercício pleno da cidadania. E é com esse objetivo que as praças produzem séries de reportagens locais. São normalmente cinco capítulos que vão ao ar entre segunda e sexta-feira, com direito a uma sexta reportagem, que resume tudo aquilo que foi exposto ao longo da semana, e que vai ao ar no fim de semana. A divisão do tema em várias reportagens faz com que todos os aspectos de um problema possam ser apresentados. Em São Paulo, já falamos sobre a morosidade da Justiça, as condições das calçadas e a poluição sonora; no Rio, discutimos a crise no sistema público de saúde. Parte dessas matérias acaba sendo sugerida pelos próprios ouvintes, que vivem diretamente as situações investigadas pelos repórteres. A própria série sobre as calçadas de São Paulo, produzida e apresentada por Wellington Ramalhoso, rendeu dezenas de relatos curiosos que acabaram sendo utilizados nos capítulos seguintes, ou mesmo pela produção do CBN São Paulo, que fez entrevistas sobre o tema.

Somando o noticiário local e o nacional, a CBN leva ao ar todos os dias uma média de trinta entrevistas, quarenta reportagens e mais de cem participações ao vivo de apuradores, repórteres e comentaristas. Muito, se pensarmos em "apenas" 24 horas de notícias, o que garante agilidade à programação, mas que também pode pasteurizar as informações. Nos jornais e mesmo na televisão, a importância da matéria pode ser medida pelo seu tamanho, em páginas ou minutos. No rádio, a importância da informação está diretamente associada à sua repetição, haja vista a rotatividade da audiência. O ouvinte entra e sai da freqüência e nós precisamos garantir que ele vai receber as principais notícias do dia no menor intervalo de tempo possível, sem que o noticiário se torne repetitivo. Para cumprir esse objetivo, a CBN conta com a habilidade de três jornalistas: o produtor, o redator e o editor.

Os produtores são responsáveis pelas entrevistas e, ao lado dos âncoras, pela coordenação dos programas no ar. Sob orientação das chefias de reportagem e coordenadores de jornalismo, eles tentam encontrar pessoas diferentes para falar sobre os assuntos mais importantes ao longo de todo o dia. O editor retira trechos das entrevistas apresentadas ao vivo, combinando as opiniões de várias pessoas em uma única reportagem, transformando as entrevistas em um produto novo, inédito. O redator, por fim, prepara o texto do Repórter CBN com base nas informações dadas pelos repórteres, apuradores, entrevistados e agências de notícias, devidamente checadas. Como a própria vinheta de apresentação diz, o boletim oferece as principais notícias do dia a cada meia hora. Graças a essa estrutura, o ouvinte tem certeza de que vai receber, no máximo em trinta minutos, uma síntese noticiosa do que houve de relevante no Brasil e no mundo.

Muito mais do que a agilidade com que uma informação vai ar pelas ondas do rádio, talvez a principal vantagem de uma emissora como a CBN hoje seja a capacidade de direcionar toda a programação no sentido daquilo que for mais importante. A televisão, com dezenas de equipes de reportagem e viaturas capazes de gerar imagens ao vivo de qualquer ponto da cidade, já consegue acompanhar a velocidade do rádio, mas sua capacidade de levar a informação ao público continua restrita à duração de um telejornal. Dependendo da notícia, toda a programação da CBN (incluindo os intervalos) pode ser derrubada para que os ouvintes tenham os detalhes, a repercussão, ouçam todas as opiniões sobre o que estiver acontecendo e a qualquer hora. Foi assim com os atentados terroristas contra os Estados Unidos no dia 11 de setembro de 2001; foi assim na morte do papa João Paulo II em 2005 e durante os principais depoimentos nas CPIs que investigaram a crise do Governo Lula, também em 2005. Será sempre assim, 24 horas por dia.

– Alô, é da CBN?

Um detalhe revelador

Participar de uma grande cobertura jornalística exige um pouco do "olhar de estrangeiro" de um repórter — ver as coisas de uma forma diferente, não rotineira, como se já tivesse visto aquilo inúmeras vezes. Nos dias seguintes ao assassinato da atriz Daniela Perez, em 28 de dezembro de 1992, a busca de informações que ajudassem a entender o crime era tão frenética que, muitas das vezes, não havia tempo de o repórter se debruçar sobre detalhes de depoimentos e investigações policiais. Luciano Garrido, na época repórter e hoje chefe de reportagem da CBN Rio, vasculhou dezenas de informações passadas aos repórteres para pinçar, no meio delas, perdida como se fosse um detalhe insignificante, a revelação de que Guilherme de Pádua, assassino confesso, e Paula Thomaz, suspeita de co-autoria, tinham feito tatuagens nos órgãos genitais, numa espécie de pacto macabro que mais tarde ajudaria na elucidação do crime. "Ao dar a notícia em primeira mão na CBN, houve uma grande agitação porque jornalistas de outras rádios, TVs e jornais queriam saber de onde a emissora tinha tirado aquela informação", relembra Luciano.

As quedas de FH

A carreira política de Fernando Henrique Cardoso estava em ascensão no ano de 1992 — era ministro das Relações Exteriores do Governo Itamar Franco, no ano seguinte comandaria a Fazenda e em dois anos chegaria ao primeiro de seus dois mandatos como presidente da República. Por isso, ter Fernando Henrique ao vivo no estúdio da CBN São Paulo, para uma entrevista de uma hora no programa "Certas palavras", era motivo de orgulho para a produção – mas de muita dor para o ministro. Quem explica é o jornalista Claudinei Ferreira, que, juntamente com Jorge Vasconcellos, criara e apresentava o "Certas palavras": "Era um sábado de muito frio em São Paulo. Fui à casa de FH buscá-lo e, no caminho até a rádio, ele reclamou de dores na coluna. Já no estúdio, começamos o programa com ele em São Paulo, enquanto aguardávamos a chegada de outro convidado no estúdio da CBN no Rio de Janeiro, o filósofo Leandro Konder. Ambos estavam lançando livros. Com 15 segundos de entrevista, FH caiu no chão sentindo dores. Chamei um intervalo, o operador pôs um bloco comercial mais longo do que o normal, até que pudéssemos resolver o problema. Voltamos, FH se levantou e, na primeira pergunta, caiu de novo." A situação enfrentada pelo âncora era dramática: além das dores do ministro em São Paulo, no Rio Leandro Konder ainda não chegara. A solução foi dada pelo próprio FH, como conta Claudinei: "Depois da segunda queda, ele deitou-se no chão do estúdio, pegou um casaco, colocou embaixo da cabeça e ficou deitado ao lado da mesa, com o microfone na mão. Disse que não sairia dali enquanto não terminasse a entrevista. E assim aconteceu: ele falou durante uma hora deitado no chão do estúdio da CBN", relembra Claudinei.

Falar e escrever corretamente

Giovanni Faria

GERENTE NACIONAL DE JORNALISMO DO SISTEMA GLOBO DE RÁDIO

Na ponta do lápis, um dia na programação da CBN pode ser apresentado de forma mais detalhada do que 24 horas de notícias: são nove programas, quase quarenta edições do Repórter CBN, dúzias de entrevistas, mais de uma centena de entradas ao vivo de repórteres, um sem-número de notas feitas na redação, sem contar dezenas de boletins de especialistas e comentaristas. Enfim, centenas de notícias apuradas, redigidas, lidas e atualizadas a cada instante — uma "padaria" que produz e oferece grande variedade de pão ao gosto do cliente. A farinha desse produto é a língua portuguesa, bem falada e escrita — eis aí a receita ideal para dar informação com qualidade e conquistar o ouvinte. Falar e escrever corretamente são aspectos que se complementam e são indissolúveis — não basta aprimorar um em detrimento do outro. Isso é o que se exige de um jornalista que trabalha na CBN e o que um jornalista que trabalha na CBN deve exigir de si próprio.

A preocupação com o emprego adequado da língua portuguesa tem que ser de todos – repórteres, produtores, redatores, editores e âncoras: linguagem clara, simples, objetiva, direta, usada coloquialmente, sem erudição ou hermetismo, sem gírias e jargões, sem lugares-comuns e preciosismos. As notícias não devem deixar margem a dúvidas, por menores que sejam – essa é a idéia central de clareza. Também não podem ser incompletas ou confundir os ouvintes. Antes de dar a informação no ar, quem a apurou ou produziu deve agir como crítico rigoroso do próprio trabalho e se colocar na posição de ouvinte: se não entendeu o que vai dizer, dificilmente alguém entenderá. É preciso ter domínio e segurança sobre a notícia a ser transmitida. E tranqüilidade, já que o nervosismo é aliado do erro – só mesmo o nervosismo poderia explicar o ato falho de um repórter em início de carreira ao dar um flash das condições de trânsito nas vias da cidade e assiná-lo "Fulano de tal para a CBN, a *rua que toca notícia*".

Mas de nada adianta clareza no texto se a fala não for clara. Ritmo, entonação, respiração e volume adequados são fundamentais. Quem fala depressa, engole letras, sílabas ou até palavras; quem grita ou alterna tom de voz distrai a atenção do ouvinte; quem gagueja perde o fio da notícia, se repete e compromete a credibilidade da informação. Na cobertura de um conflito entre polícia e traficantes, por exemplo, em que há corre-corre, troca de tiros e tensão, em regra o repórter deve manter a calma, procurar um local seguro para falar e tomar cuidado para não entrar no ar ofegante, aos gritos, como uma "metralhadora" – o importante é descrever a gravidade dos acontecimentos sem cair na tentação de ser mais real do que a realidade.

Um dos segredos da simplicidade é usar e abusar de construções curtas, o que não significa dizer que precisam ser telegráficas. Mas devemos evitar frases, orações, períodos longos, que dificultam a compreensão imediata do ouvinte – e este nem sempre terá uma segunda oportunidade de ouvir a notícia para compreender exatamente o que entendera mal ou não entendera na primeira vez. Ser simples e claro não quer dizer que o texto não possa ser elegante – aliás, deve ser – nem que nas participações ao vivo o repórter fale como um robô ou aja com a frieza de uma estátua. Mas enfeites, penduricalhos, banalidades e detalhes desnecessários costumam destruir não só a clareza e a simplicidade, mas a objetividade. O pecado também surge na intenção de estilizar demais, correndo o risco de tirar o foco da notícia – aquilo que efetivamente ocorreu, quais os personagens envolvidos, onde, quando, como e por que aconteceu. A concisão deve prevalecer na notícia – o que pode ser dito com exatidão e firmeza em um minuto, não deverá sê-lo em dois. Economia de tempo, e não desperdício, deve ser a regra. Há algo de pobre no texto de uma nota de dez linhas em que a informação mais importante – o reajuste da tarifa de táxi, por exemplo – só aparece embutida lá pela quinta ou sexta linha: "Os passageiros de táxi do Rio de Janeiro, que tem a segunda maior frota do país, com 31 mil veículos, ficando atrás apenas de São Paulo, podem começar a coçar o bolso: a partir de segunda-feira, a bandeirada inicial, que é o valor apresentado no taxímetro quando o passageiro entra no carro, terá um reajuste de 9,68%, passando de R$ 3,10 para R$ 3,40" – construção que parece tão longa quanto pode ser uma viagem de táxi num engarrafamento.

O que é mais relevante abre a notícia – o lead não morreu, é fato. Claro que não há fôrma nem receita de bolo para a sua elaboração, mas por certo não é território ideal para imprecisões, detalhes, abstrações. Em geral, o lead deve ser conclusivo, abrangente e, claro, atraente. Daí a necessidade de se abandonarem vícios como o de abrir uma reportagem dizendo, por exemplo, que dois ministros se encontraram ontem, durante tanto tempo, em tal local, com qual objetivo, deixando de lado o que efetivamente deveria ser o foco central: qual foi o resultado da reunião, o que foi decidido, acertado.

A ordem direta das frases dá à notícia uma linearidade que ajuda o ouvinte a compreender melhor o que está sendo dito – nove entre dez pessoas que desempenham outra atividade enquanto ouvem rádio, o que é regra, agradecem. Sujeito, como locomotiva, vem na frente, seguido de verbo e complementos. Orações interpostas só confundem – funcionam como "rodopios" e "cambalhotas" que escondem, retardam ou ignoram a informação relevante. "O comandante da Polícia Militar do Rio de Janeiro disse ontem, durante solenidade de inauguração do Batalhão do Complexo da Maré, que terá um efetivo de duzentos homens numa unidade de cinco mil metros quadrados construída numa das áreas mais violentas do Rio e às margens da Linha Vermelha, que..." Bem, seja lá o que disse o comandante, com certeza isso deveria ter sido ressaltado de imediato se era importante – e era. Mas é bem possível que o ouvinte não tenha tido a paciência de esperar para saber. Todas as informações citadas até poderiam ser aproveitadas – bastava desmembrar o texto e dar a ele a ordem direta, indo logo ao ponto central (o que disse o comandante) e ressaltando posteriormente aspectos secundários.

Texto claro, simples e direto – para tanto, é preciso escolher bem as palavras. Cada uma carrega em si um significado – e até vários – e um peso. Selecioná-las, de forma criteriosa, é um desafio diário em cada nota, reportagem, entrada ao vivo, pergunta feita ao entrevistado. O verbo "poder", por exemplo, não tem o mesmo significado nem peso de "dever"; portanto, não podem ser usados alternada e aleatoriamente, ao gosto do cliente. E haverá sempre um verbo de plantão para descrever a ação de forma precisa – há de se ressaltar o uso reiteradamente equivocado e fora do sentido original de alguns deles, como admitir, minimizar, justificar, assistir. Evitar o vício da repetição de palavras e estruturas idênticas ou semelhantes é um exercício de valorização do estilo. Bem como ter o bom senso de não buscar palavras e expressões em desuso – como os indesculpáveis "precioso líquido" em vez de água e "soldado do fogo" no lugar de bombeiro, entre outras. Ampliar e atualizar o vocabulário diariamente fazem bem ao jornalista.

A pressa e a urgência de dar informações no ar não são passaportes para imprecisão e erro – e este nos persegue e nos espreita, pronto para dar o bote a cada apuração malfeita, a cada reportagem produzida sem capricho. A atenção, nas entradas ao vivo da rua ou na produção do texto na redação, deve ser máxima para reduzir ao mínimo as falhas. Mas se errar é humano, não admitir o erro é um comportamento desumano. Em rádio, por suas características, isso pode – e deve – ser feito o mais rapidamente possível. A má construção de uma notícia pode ser um vexame em termos lingüísticos e fatal para a credibilidade de quem a transmite – seja o profissional, seja a emissora. Daí a necessidade de uma rigorosa apuração e cuidadosa revisão dos dados, leitura e releitura dos textos, se possível em voz alta, antes de veicular a notícia. O desafio da participação ao vivo é sempre maior, pois nem sempre o repórter tem tempo de redigir um texto minimamente ordenado. Nessas situações, é preciso que ele anote os tópicos mais relevantes e as idéias gerais que não podem ser esquecidas – é a melhor forma de não ser traído pela memória. No improviso, a objetividade deve ser determinante. A participação curta e direta será sempre mais adequada do que aquela longa e sinuosa, mais sujeita a armadilhas da língua portuguesa, imprecisões, esquecimentos e repetições – em síntese, "encher lingüiça" ou ficar rodando como "enceradeira" faz mal à saúde do jornalismo em rádio.

Nas participações ao vivo da rua, o repórter tem a oportunidade de trabalhar e valorizar um dos aspectos mais interessantes da linguagem jornalística do rádio: a descrição de elementos que compõem, emolduram, dão vida e "imagem" à notícia. No episódio do ônibus 174 no Rio de Janeiro, dia 12 de junho de 2000, quando um assaltante manteve os passageiros reféns, a descrição dos acontecimentos feita pelos repórteres da CBN Ricardo Ferreira e Mariana Gross foi de tal forma precisa e rica que era possível criar, quadro a quadro, a cena na mente dos ouvintes. Descrever situações e ambientes é um recurso inerente ao rádio, mas que deve ser usado adequadamente, sem exagero e inexatidão, apenas quando integra e enriquece a notícia e ajuda na sua compreensão.

Regra que se estende a todos que lidam diariamente com entrevistados, ao vivo ou fora do microfone, seja repórter ou âncora: objetividade nas perguntas. Ser direto é melhor do que ser prolixo e enfadonho, do que cansar ouvinte e entrevistado, do que passar a imagem de que conhece a fundo o assunto, talvez mais do que o próprio especialista a ser ouvido. Claro que todo jornalista deve estar preparado, a par do tema da reportagem para a qual foi designado. Mas é preciso saber perguntar, sem excessos. Isso, obviamente, não estabelece um diálogo gélido e telegráfico com o entrevistado, mas pressupõe adequação, pertinência e uma boa dose de bom senso. Em certas situações, a pergunta-clichê "O que o senhor acha disso ou daquilo?" pode não ser a ideal, e nem deve ser padrão, mas será mais adequada do que fórmulas que privilegiam divagações e perorações. A resposta do entrevistado é que será notícia, e não a pergunta. Além disso, é preciso que o jornalista tenha distanciamento e postura crítica, e não passividade, diante das respostas dos entrevistados.

A busca da notícia leva o jornalista a lidar diariamente com pessoas de segmentos profissionais diversos – nas áreas médica, jurídica, policial e da administração pública, entre outras – e isso tem causado uma distorção na linguagem jornalística: a incorporação, passiva na maioria das vezes, de termos usuais e expressões técnicas compreensíveis apenas naqueles meios. Se o policial diz que "o elemento foi preso com a viatura roubada", devemos "traduzir" para algo mais adequado e próximo da linguagem do cidadão comum, como "a pessoa foi presa com o carro roubado", assim como a "egrégia corte" do meio jurídico torna-se mais palatável quando chamada de tribunal no texto jornalístico. Os releases das assessorias de imprensa de órgãos públicos e empresas são outra ameaça – em geral, a linguagem utilizada é incompatível com a jornalística e não podemos utilizá-los passivamente como se fossem textos prontos para serem veiculados em rádio: não são nem podem.

Escrever e falar bem concorrem, positivamente, com outros aspectos da rotina do jornalista. É preciso ler, muito e sempre, jornais e revistas. E não ignorar dicionários, manuais e gramáticas – não que o jornalista precise mergulhar em análises sintáticas mais complexas, mas é preciso ampliar o vocabulário, conhecer o significado dos verbos, fazer as concordâncias verbais e nominais adequadamente, ignorar vícios de linguagem, lugares-comuns, redundâncias e cacófatos, saber a grafia e a pronúncia das palavras. A síndrome do "cachorro com xis" – escrever errado porque no ar a pronúncia sairá correta – não cabe, jamais. O profissional de rádio é, antes de tudo, jornalista, e deve, como tal, ter texto com qualidade para exercer a atividade em qualquer outro meio, como jornal e revista. O relato de um jornalista, feito em 2000, pode ser a mais perfeita tradução de um profissional cujo comportamento só ajudou a estreitar as possibilidades de sucesso na área: "Sou bom de microfone, nas entradas ao vivo. Sei dar a notícia, conto a história no ar, mas não me peçam para escrever; eu nem ligo o computador." De fato, não escreveu, mas pôs um ponto final na carreira.

"Tem luz aí?"

A CBN saiu do ar por segundos por volta das 13h40 do dia 21 de janeiro de 2002 e o âncora Carlos Alberto Sardenberg, que estava apresentando o CBN Brasil, chegou a pedir desculpas aos ouvintes pela queda de energia dos transmissores da rádio. Parecia um problema restrito à CBN São Paulo, mas rapidamente constatou-se que faltava energia na Rua das Palmeiras, no próprio bairro de Santa Cecília, na cidade de São Paulo, em todo o estado. À medida que o âncora chamava os repórteres de outras cidades, antes de tratar do assunto da reportagem de cada um deles, fazia a pergunta:

– Agora vamos a Brasília. Tem luz aí?

– Não, apagou tudo – respondeu o repórter.

– E aí no Rio?

– Também não – repetiu outro.

– E Curitiba, como está?

– Está sem energia, Sardenberg – contou o repórter.

Enfim, o apagão atingia dez estados das regiões Sudeste, Centro-Oeste e Sul do país, além de Brasília. "E assim fomos colhendo informações ao vivo, mostrando a extensão do problema na hora em que ele ocorria. Isso é a emoção do rádio ao vivo", diz Sardenberg, que mudou o foco do programa para a cobertura do apagão causado pela quebra de um parafuso numa transmissora em Bauru, que desligou 13 turbinas em Itaipu.

"Conexão" que dá resultado

O "Conexão Rio-São Paulo" une as duas maiores cidades do país numa conversa diária entre os âncoras Sidney Rezende e Milton Jung — em pauta, o cotidiano das duas cidades e os assuntos de interesse de ambas as capitais. Porém, uma das histórias mais curiosas tratadas pelos dois âncoras não tinha as metrópoles no centro da discussão – a ação de vândalos que haviam invadido uma escola estadual em Cotia, no interior de São Paulo, e incendiado a biblioteca dos alunos. A indignação dos âncoras pelo absurdo do ato teve eco imediato. "Não imaginamos que nossa revolta pudesse mobilizar entidades e cidadãos", conta Milton Jung. Pouco depois, entretanto, o presidente do Instituto Ethos, empresário Oded Grajew, que escutava o "Conexão", ligou para a redação da CBN e se comprometeu a incluir o colégio num projeto da entidade de instalação de bibliotecas. Os pais dos alunos se reuniram em mutirão, levantaram as paredes, reconstruíram o telhado e pintaram tudo. Empresas, Governo do Estado e moradores da cidade e região levaram os livros. "Em dois meses, lá estava eu assistindo à inauguração da nova biblioteca da Escola Estadual Professor Carlos Ferreira de Moraes. Era a vitória da palavra contra a inconseqüência do ato. Palavra que se transformou em obra do cidadão ao ser transmitida na CBN", conclui Milton Jung.

A MATEMÁTICA DE UM VENCEDOR

Um dos objetivos do jornalista Gilberto Dimenstein é mostrar, por intermédio de seus boletins diários intitulados "Mais São Paulo", histórias de personagens anônimos ou desconhecidos que fazem a diferença na cidade – como Edson Mesquita, um jovem morador de Parelheiros, um dos bairros mais violentos da capital, órfão de pai e filho de mãe faxineira, que demonstrou, desde pequeno, uma extraordinária habilidade para a matemática. Professor de Edson numa escola pública, Ivan Francisco Xavier mandou dezenas de *e-mails* para escolas particulares na tentativa de conseguir uma vaga para o rapaz. E conseguiu. "Eu contei toda essa história na CBN quando Edson já estava entrando na Poli (Escola Politécnica da Universidade de São Paulo), numa posição maravilhosa, apesar de todas as dificuldades que enfrentou para se manter numa escola privada", conta Dimenstein. Pouco tempo depois de seu comentário no "Mais São Paulo", Dimenstein recebeu um telefonema de engenheiros, ex-alunos da Poli, que ofereceram uma bolsa de estudo para que Edson pudesse se manter na faculdade. "São histórias como essa que a CBN ajuda a fazer que deixam a comunidade e a cidade melhores", resume Dimenstein.

Um produtor e seus mil nomes

Clésio "fogueteiro" Botelho...
Clésio "encruzilhada" Botelho...
Clésio "brilhantina" Botelho...

Quem acompanha diariamente o encerramento do "Jornal da CBN", às 9h30, já se acostumou com a brincadeira feita pelo âncora Heródoto Barbeiro com o produtor Clésio Botelho, que há sete anos coordena a produção do Jornal. "As pessoas me mandam *e-mails* sugerindo nomes para o Clésio. Isso virou uma marca do programa. O dia que eu não falo Clésio 'alguma coisa' Botelho, as pessoas reclamam", conta Heródoto. O "nome do meio" do produtor está sempre relacionado à música de encerramento, outra marca do Jornal, ou a alguma situação que ela representa. "O mais engraçado é que as pessoas já associam meu nome a outro nome qualquer. Alguns assessores quando ligam me dizem: 'Ah, você que é o Clésio 'fulano de tal' Botelho?'", conta ele. A brincadeira começou em 2003 e, em alguns casos, Heródoto aproveita para dar um recado para Clésio nas entrelinhas. "Às vezes ele pega no meu pé de uma forma crítica, quando algo tinha de acontecer de uma forma diferente. Outras vezes, arruma nomes completamente esdrúxulos. Confesso que de muita coisa nunca ouvi falar, acho que ele tira do fundo do baú", conclui Clésio "sei-lá-o-quê" Botelho.

No ar, dicas para jornalistas de rádio

(E TAMBÉM PARA OS OUVINTES)

⤳ Quando nos referimos a algum lugar, o correto é "chegar a", e não "chegar em".

⤳ Exame de "corpo de delito", e não "corpo delito".

⤳ "Intermitente" é aquilo que pára e volta, vai e vem. Uma chuva sem interrupção, contínua, é "ininterrupta".

⤳ "Ele se maquia", e não "maqueia": maquio, maquias, maquia, maquiamos, maquiais, maquiam.

⤳ Discutir com calor, disputar, lutar é "digladiar", e não "degladiar".

⤳ Diga que "o fim do prazo é dia 30" ou "o prazo termina dia 30", mas não "o prazo final é dia 30".

⤳ "Eu intervim", "ele interveio", e não "eu intervi", "ele interviu". O verbo "intervir" é derivado de "vir", e não de "ver".

⤳ O verbo haver é impessoal no sentido de existir. Por isso, só admite a terceira pessoa do singular: "Havia cinco mil pessoas do lado de fora do estádio."

⤳ Evite o detestável "a nível de" já ouvido em frases como "A nível de Fórmula Um, a Ferrari..."

⤳ Aproximadamente tem a idéia de arredondamento. Por isso, evite frases como "Aproximadamente 19 pessoas ficaram feridas". Claro, são aproximadamente vinte. Também use números redondos com "cerca de".

⤳ Uma mulher "dá à luz" um menino, uma menina, gêmeos. E não "dá a luz a", como é muito usado.

⤳ "Acatar" é "obedecer". Pedidos a autoridades, judiciais ou não, são "atendidos", "acolhidos", "deferidos", e não "acatados" ou "obedecidos".

⤳ "Cada" exige complemento: "cada pessoa", "cada disco", "cada livro", como em "Serão duas apresentações de uma hora cada uma", e não "de uma hora cada".

↬ Quando alguém recorre à Justiça, o correto é dizer que "dá entrada a um processo", e não "dá entrada em um processo" ou "num processo". Mas é possível trocar "deu entrada a um" pelo simples "pediu". Exemplo: "pediu o relaxamento da prisão", e não "deu entrada a um pedido de relaxamento".

↬ "O parlamentar defendeu que os documentos sejam retirados do processo." Alguém "defende alguma coisa", e não "defende que". No caso, "O parlamentar defendeu a retirada dos documentos do processo".

↬ "Amigo pessoal": redundância, pois a amizade é uma relação pessoal.

↬ "Os agentes denunciaram que há desvio de mercadoria." Evite "denunciar que". Denuncia-se "alguma coisa" ou "alguém". No exemplo, "Os agentes denunciaram o desvio de mercadoria".

↬ "Daqui a pouco outras notícias" é melhor do que "daqui a pouco mais notícias". No ar, "mais" soa como "más".

↬ Utilize o verbo "desagradar" como transitivo indireto. "A medida desagradou aos servidores."

↬ "Destroem", sem acento, e não "destróem".

↬ "Distinguir" não tem trema. Portanto, não se pronuncia o "u".

↬ Alguém "divulga algo", e não "divulga que".

↬ Se um prazo é ampliado, desnecessário dizer "por mais", como "O prazo foi ampliado por mais cinco dias".

↬ Não existe "doente grave". "Grave" é o estado de saúde da pessoa. Mesma regra para "ferido leve", que não se usa.

↬ É possível encarar uma pessoa com medo, fixamente, atentamente. Mas é redundância dizer "encarar de frente".

❧ Se uma lei está em vigor, ela "vige". O verbo é "viger", e não "vigir".

❧ "Grosso modo" está correto; "a grosso modo", não. De qualquer forma, é bom evitar.

❧ A pronúncia correta é "ibero", com a sílaba tônica no "be". Já "íbero", como se fosse proparoxítona, não existe.

❧ Para os muito magros, use "macérrimo", e não "magérrimo".

❧ Polícias "descobrem" ou "invadem" esconderijos, e não "estouram", como é comum na linguagem policial. A palavra "cativeiro" deve ser evitada.

❧ Assim como no caso de "cerca de", use apenas números redondos ou aproximados com "mais de". Nada de "mais de 13 pessoas ficaram feridas". Vale dizer "pelo menos 13".

❧ "Ínterim", proparoxítona", e não "interim", como se a sílaba tônica fosse "rim".

❧ Uma ordem judicial é um "mandado" (mandado de prisão). "Mandato" é uma representação (mandato de deputado).

❧ Verbo "mediar": "eu medeio" o debate, e não "eu medio". Verbo "intermediar": "eu intermedeio".

❧ "A empresa manteve o mesmo desconto." Pura redundância: basta dizer "A empresa manteve o desconto".

❧ "Megaoperação reúne duzentos soldados." É modismo usar "mega" em casos assim. E se a operação reunisse vinte mil soldados, seria o quê? Dê a informação exata, os números, nada mais.

❧ "O brasileiro foi o melhor colocado no triatlo." Errado. Antes de particípio, o correto é usar "mais bem", e não "melhor".

↝ "Para maiores informações, o telefone é..." Evite esse tipo de construção: use "outras informações", "informações adicionais" ou apenas "informações". Informações não são "maiores" nem "menores".

↝ "O Brasil é campeão em desnutrição." Usar "campeão", ou verbos como "ganhar" e "conquistar", não é adequado para ressaltar aspectos negativos.

↝ Jargões policiais devem ser evitados no texto jornalístico: nada de "elemento", "meliante", "sujeito" e "viatura" no lugar de "assaltante", "bandido", "ladrão" e "carro".

↝ "A invasão ocorreu há três dias atrás." O "atrás" está sobrando. Certo: "A invasão ocorreu há três dias" ou "A invasão ocorreu três dias atrás".

↝ "O gol da vitória foi marcado através de Ramon." O gol foi marcado "por" Ramon, e não "através" dele.

↝ Outro verbo que não é acompanhado de "que": mencionar. Alguém "menciona alguma coisa", e não "menciona que".

↝ "A falta favorece o Palmeiras", e não "ao" Palmeiras. "Favorecer" é transitivo direto.

↝ "Metade dos torcedores ficou furiosa." Com "metade", o verbo fica no singular, como no exemplo.

↝ "Milhar" e "milhão" são substantivos masculinos: "os oito milhares de pessoas" e "os dois milhões de mulheres". Com "um milhão", leve o verbo para o plural: "Um milhão de eleitores votaram..."

↝ Não use o redundante "monopólio exclusivo". Se é monopólio, há exclusividade.

↝ Alguém mora "na" rua tal, e não "à" rua tal. O mesmo com "residir".

↝ "Preso nega que é chefe do tráfico." Atenção: quando usamos "nega que", a oração seguinte tem de ficar no subjuntivo. "Preso nega que seja chefe do tráfico."

↝ Por distorção, não é de bom-tom usar as palavras "folclórico" ou "folclore" em referência a pessoas ou ações grotescas, ridículas, como em "O folclórico vereador não falou com os jornalistas".

↝ O verbo fica no singular com "nenhum": "Nenhum dos inscritos compareceu."

↝ Pela carga preconceituosa, não use o verbo "denegrir".

↝ Use a preposição "a" após os verbos obedecer e desobedecer. "O jogador desobedeceu ao técnico", e não "o técnico".

↝ Use "a partir" para referências ao presente e futuro, nunca ao passado. Para o passado, use "desde ontem", por exemplo.

↝ Penalizar é causar, sentir ou ficar com pena, magoar. É diferente de punir, que tem o sentido de castigar, prejudicar. Um jogador é "punido" com o cartão vermelho, e não "penalizado".

↝ Pura cacofonia: "por cada". Exemplo: "Será cobrada multa de R$ 20 por dia de atraso", e não "por cada dia".

↝ "O treinador confraternizou com os atletas", e não "se confraternizou".

↝ "Possível" é aquilo que pode acontecer; já "provável" é algo que deve acontecer.

↝ "Os preços praticados pelo comércio." Melhor: "preços cobrados".

↝ Correto: "O secretário preferiu sair a continuar desgastado." Errado: "O secretário preferiu sair do que continuar desgastado."

↝ Pela incoerência, não se deve dizer que uma proposta "conta com a rejeição da maioria". "Contar com" é "ter a favor".

↝ Se temos a palavra "primeiro-ministro", evitemos "premiê" ou "premier".

↝ Mesmo quando há várias versões distintas, usamos "controvérsia", e não "controvérsias".

↝ Redundância: "quantia de dinheiro", pois quantia é sempre de dinheiro. "Quantia em dinheiro" também é ruim.

↝ "O bandido foi preso com uma certa quantidade de droga." "Uma certa quantidade" não diz absolutamente nada. Ou damos a quantidade, se temos a informação, ou apenas que "o bandido foi preso com droga".

↝ Alguém é "considerado o" melhor ou pior em alguma coisa, e não "considerado como".

↝ "A festa terá a presença de Parreira e Zagallo", e não "A festa terá as presenças de Parreira e Zagallo".

↝ "Quite" no singular, "quites" no plural. Uma "empresa está quite" e "as duas empresas estão quites".

↝ Use "recorde", paroxítona, e não "récorde".

↝ Alguém "relata alguma coisa", e não "relata que". Alguém "registra alguma coisa", e não "registra que".

↝ "Rubrica", paroxítona, e não "rúbrica".

↝ "O jogador foi sacado do time." Construção ruim. Em tempo, "sacar" é tirar com violência ou de forma brusca. "Tirar" ou "substituir" são ótimas opções.

↝ Lojas "vendem" produtos, e não "comercializam". "Comercializar" é o processo que envolve todas as etapas, como transporte, armazenamento, distribuição.

↝ Em notícias sobre acidentes, tumultos e tragédias, jamais use "saldo" para mortos e feridos, como em "Acidente deixa saldo de dez mortos nas estradas de Minas". E acontecem "por causa" ou "em conseqüência" de alguma coisa, e não "em razão de", "em função de" ou "por conta de".

↝ Singular: "júnior". Plural: "juniores", paroxítona. Vale para "sênior".

↝ Cheques têm (ou não) "fundos", em vez de "fundo".

↝ "Sequer", que significa "ao menos" e "pelo menos", só pode ser usado em orações negativas. "O presidente nem sequer (ao menos) olhou para os desafetos", e não "O presidente sequer olhou para os desafetos".

↝ "Vicioso" é o círculo ou o ciclo? Apenas "círculo vicioso" existe.

↝ "Seríssimo", escrito e ouvido várias vezes, está errado. O certo é "seriíssimo". Ou, mais simples: diga que a pessoa é séria, muito séria.

↝ Assim como o livro, "Éramos seis", e não "éramos em seis". E mais: "Somos três", e não "somos em três".

↝ "Todos foram unânimes." Redundância, pois unanimidade é sempre de todos.

↝ Prefira "infarto" e "enfarte" a "enfarto".

↝ Com "um dos que", prefira o verbo no plural. "O ministro foi um dos que fundaram o partido."

↝ Use "viagem a" e "viajar para". Exemplos: "Confirmada a viagem à Itália" e "A seleção viajou para a China". Lembre-se: com o substantivo, "a"; com o verbo, "para".

↝ Evite construções do tipo "Crianças de zero a cinco anos devem ser vacinadas". Bem melhor: "Crianças (com) até cinco anos devem ser vacinadas." É ruim usar "zero ano".

↝ "Admitir", um dos verbos da moda, tem a ver com "concessão", "permissão", "reconhecer ou aceitar algo a contragosto", mas está aparecendo, indevidamente, no lugar de "denunciar", "afirmar", "confessar", "declarar", "dizer". Use com moderação e pertinência.

↝ Use "americano" como gentílico de quem nasce nos Estados Unidos da América, e não "norte-americano".

↝ Evite os artigos "o" e "a" antes de nomes de pessoas: "Pelé foi a estrela da Copa do Mundo de 70", e não "O Pelé...".

↝ "Detalhe" é um adorno da notícia. Se uma informação é relevante, imprescindível, vital, não deve ser tratada como "detalhe".

↝ Evite a redundância: orações com "além" dispensam "também".

↝ "Avaliar": verbo não pode ser usado no lugar de "comentar", "concluir". E não existe "avaliar que". "O governo avaliou a crise", e não "O governo avaliou que a crise".

↝ Não existe "governador carioca" ou "polícia carioca", mas sim "governador fluminense (ou do Estado do Rio)" ou "polícia fluminense". Carioca se refere ao município do Rio, e não ao estado.

↝ "Sofrível" significa "suportável", "razoável". Não é sinônimo de "muito ruim" ou "péssimo".

↝ Ninguém fala "desde" algum lugar (cidade, estádio de futebol), mas "de" algum lugar.

↝ "Machucado" ou "contundido" é muito melhor do que "lesionado".

↝ Existe "desmonte de carros"; "desmanche", não.

↝ O objeto de uma extorsão é aquilo que alguém tira ou arranca à força de outro, e não a própria pessoa. Assim, em vez de "A polícia extorquiu os comerciantes...", o correto é "A polícia extorquiu dinheiro dos comerciantes...".

➤ Futuro do subjuntivo: "Se o time impuser o ritmo", e não "impor". "Se você supuser a reeleição", e não "supor". "Impor" e "supor", além de "depor", "compor", "repor" e outros, são derivados do verbo "pôr". Atenção redobrada.

➤ Evite "enquanto que": "Os deputados votavam, enquanto os senadores aguardavam a vez", e não "enquanto que".

➤ "Votos brancos", e não "votos em branco".

➤ O subjuntivo não morreu. Portanto, diga "me desculpe" e "me perdoe", e não "me desculpa" e "me perdoa".

➤ "A partir de" equivale a "a começar de". Assim, evite orações como "A festa começa a partir das 11h".

➤ "Bugigangas", sim. "Bugingangas", não.

➤ "A princípio" é o mesmo que no início. "Em princípio" é bem diferente: está ligado à idéia de princípios, em tese.

➤ "Cateter", oxítona, e não "catéter".

➤ "Acontecer" é aquilo que sucede de repente, inesperadamente. Se algo está previsto, com dia e hora marcados, use os verbos ser, ocorrer, haver, realizar-se.

➤ Datas não são adiadas, mas trocadas. O evento marcado para uma data é que é adiado.

➤ "Encapuzado" está correto; "encapuçado", não.

➤ Alguém vive "à custa de" outra pessoa, e não "às custas de". Por sua vez, "custas" é substantivo que se refere a despesas de um processo judicial.

➤ "Ao invés de" e "em vez de" são diferentes. O primeiro quer dizer "ao contrário", como em "ao invés de subir, desceu". Já o segundo significa "no lugar de", como em "em vez de carro, comprou motocicleta".

⤳ Correto: aterrissar ou aterrizar. Errado: aterrisar. Lembre-se de que avião também desce ou pousa.

⤳ Não existe a construção "indica que". Alguém indica algo ou alguma coisa.

⤳ "Aficcionado" ou "aficionado"? "Aficionado", com um "c".

⤳ "Beneficente" está correto; "beneficiente", não.

⤳ O que ocorre duas vezes por mês é "bimensal". Já "bimestral" é quando há intervalo de dois meses.

⤳ "O técnico antecipou que o Brasil vai aderir..." Alguém antecipa alguma coisa, e não "antecipa que". No caso, "O técnico antecipou a adesão do Brasil..."

⤳ Evite "a causa mortis foi..." Informe sem rodeios a causa da morte. Prefira "morrer" a "falecer" e "morte" a "óbito".

⤳ "Agilizar": o verbo virou moda. Prefira "apressar", "acelerar", "dinamizar" e outros.

⤳ Pessoas não são comunicadas de um fato, mas informadas. O fato, este sim, é comunicado.

⤳ "Independentemente" é advérbio, modifica um verbo. Tem o sentido de "sem levar em conta", "desconsiderar". "Independente" é adjetivo, está ligado a um substantivo. "O presidente é um homem (substantivo) independente, mas agiu (verbo) independentemente de autorização."

⤳ "Deslocamento" ou "descolamento" de retina? O correto é "descolamento".

⤳ Prêmio "Nobel", oxítona, e não "Nóbel", paroxítona.

⤳ "Fato verídico" é redundante. Notícias podem ser falsas; fatos, não.

⤳ Evite dizer que o condenado "pegou" ou "ganhou" tantos anos de prisão. Diga que ele foi condenado a tantos anos.

✧ "Ao encontro de" é o mesmo que atuar no mesmo sentido, uma situação favorável; "De encontro a", ao contrário, tem a idéia de oposição, choque.

✧ Prefira "reportagem" e "notícia" a "matéria", que é jargão de redação para o texto jornalístico.

✧ "Meteorologia", e não "metereorologia".

✧ "Alternativa" e "opção" são distintos. "Alternativa" é sempre a outra saída, a única possibilidade. Portanto, é errado dizer "única alternativa" e "outra alternativa". "Opção" é o leque de caminhos e permite livre escolha.

✧ "Elo de ligação"? Extrema redundância. "Elo" é "ligação".

✧ "Obstaculizar"? Fuja dessa palavra. "Impedimento", "empecilho" e "criar obstáculos" resolvem.

✧ Atenção com a pronúncia: "prazeroso", e não "prazeiroso".

✧ "Deputado por São Paulo", "senador pela Bahia", e não "de" ou "da".

✧ Não use "preço mais caro" ou "preço mais barato", muito menos "o preço custa". Diga: "Preço alto" ou "preço baixo". E "o preço é tanto".

✧ Questionar significa pôr em dúvida. Portanto, nada de usar como sinônimo de perguntar ou interrogar.

✧ "O resultado demorou exatamente vinte minutos", e não "exatos vinte minutos".

✧ Não é correto dizer que "A polícia reprimiu os ambulantes". Reprime-se a atividade, não quem a pratica ou a exerce.

✧ "O jogador é o curinga do time", e não "coringa".

✧ "Surpresa inesperada" é, claro, redundante.

↝ Suspende-se o que está em andamento, como uma greve; se não começou, pode ser cancelado ou adiado. Assim, "o sindicato suspendeu a greve" (já havia começado) é diferente de "o sindicato cancelou a greve" (antes de começar).

↝ Para o ato de varrer, prefira "varredura" a "varreção" e "varrição".

↝ Não faz sentido dizer "vítima fatal". Fatal é o acidente, nunca a vítima.

↝ "O jogador foi comprado junto ao Santos." Gol contra. Diga que o jogador foi comprado "do" ou "ao" Santos.

↝ "Haja vista" é invariável: "Haja vista o rumo das investigações...", "haja vista os desmandos do Governo...", "Haja vista a decisão..."

↝ Não existe "defender que". "O historiador defende a saída dos soldados do Haiti", e não "O historiador defende que os soldados deixem o Haiti".

↝ Entre municípios, "limite"; entre Estados, "divisa"; e entre países, "fronteira".

↝ Jamais diga ou escreva "gratuíto" — há ditongo, e não hiato. O certo é "gratuito".

↝ Em casos de remoção de pessoas de uma área, prefira, por bom gosto, os verbos "desocupar" e "esvaziar" a "evacuar".

↝ "Extinguir", sem trema. O "u" não é pronunciado.

↝ "Circuito": pronuncia-se o ditongo "ui", e não como se fosse "circüito".

↝ "O ministro fez uma colocação." Fuja desse modismo. Use sugestão, observação, comentário. Ou que ele sugeriu, observou, comentou. Melhor: diga logo o que o ministro disse.

↝ "Acidente" é um acontecimento imprevisto que causa ferimento, dano, estrago, avaria, como num desastre. "Incidente" é uma circunstância acidental, episódio, mero acontecimento, atrito.

❧ Evite, sempre, "a chuva que caiu em São Paulo deixou sessenta desabrigados". Basta "a chuva em São Paulo deixou…"

❧ Em datas de morte e tragédias devemos usar verbos como "marcar", "lembrar", "assinalar". Evite "celebrar" e "festejar".

❧ "A meu ver", e não "Ao meu ver".

❧ "Criar novos" é redundante. "O Governo vai criar quinhentos novos cargos em comissão." Exclua "novos" da frase.

❧ "Estudo aponta que população cresceu…" Não existe "apontar que". No exemplo, "Estudo aponta o crescimento da população…"

❧ "Maiores detalhes…" Pela incoerência, jamais use.

❧ Utilize "depois de", e não "após", antes de verbo no particípio: "Depois de iniciado", e não "após iniciado"; "depois de realizado", e não "após realizado".

❧ É redundante dizer que alguém escreveu "sua" autobiografia; basta "a biografia".

❧ Nem "bochicho" nem "buxixo". O correto é "bochincho".

❧ "Refutar" tem o sentido de negar; portanto, não vale como substituto de "recusar", "rejeitar".

❧ Alguém "comenta alguma coisa", e não "comenta que".

❧ "Em comemoração de", e não "em comemoração a".

❧ Redundância a ser evitada: "conviver junto".

❧ Prefira "estada" para a permanência de pessoas em algum lugar (hotel, cidade) a "estadia".

❧ "Eventual" é o que pode acontecer por acaso, acidentalmente, enquanto "potencial" é aquilo que tem possibilidade de acontecer.

❧ "Qual a expectativa para o futuro?" Redundância: expectativa é sempre para o futuro, assim como promessa e previsão.

❧ Cuidado com o verbo "justificar", usado quando alguém apresenta um motivo justo. É diferente de "explicar", que é apenas o motivo. Se dissermos que um ladrão "justificou" o roubo, por exemplo, estamos concordando com ele.

❧ Um jogador "fica fora" do jogo é melhor do que "fica de fora".

❧ Prefira os verbos "causar" e "produzir" a "gerar".

❧ Laudo é o resultado de um exame, de uma perícia. Portanto, evite o comum e redundante "resultado do laudo".

❧ Quem comanda ou chefia uma quadrilha de traficante não deve ser chamado de "líder", palavra que tem conotação positiva.

❧ "Onde" deve ser usado sempre em referência a lugar. "Chegou a Paris, onde participará da feira...". Não cabe dizer "esteve no jantar, onde se encontrou..."

❧ Estupro só pode ser cometido contra mulher. No caso de homem é "atentado violento ao pudor" ou "violentado".

❧ "Veredicto", e não "veredito". Mas prefira "decisão" ou "sentença".

❧ "O ministro rebateu os manifestantes." Acusações, ofensas, críticas são "rebatidas", não as pessoas que as fazem.

❧ "Moradores reclamam que o lixo foi despejado..." Reclama-se "de" alguma coisa, e não reclama-se "que". Certo: "Moradores reclamam do despejo de lixo."

❧ "Reverter" é voltar a uma situação anterior. Ao tratarmos de algo que não volta ao que era antes (fato, número, placar), melhor usar "inverter", "alterar", "mudar", "trocar", "virar". Um time "inverte" ou "vira" um placar, e não "reverte".

↝ Use "marido" e "mulher" em vez de "esposo" e "esposa", que têm significado não só de casado/a como de quem está prometido/a para o casamento ou noivo.

↝ "A obra inicia em março." Corretos: "se inicia" ou "começa".

↝ "Substituir" é transitivo direto: "Renato substituiu Romário."

↝ O troco, que pode ser em dinheiro ou com o sentido de revide, é dado "a alguém", e não "em alguém".

↝ "O assaltante trajava calça jeans..." Prefira "vestir", "usar".

↝ Evite dizer, por ser desnecessário, que uma pessoa está "visivelmente" alegre, triste, abatida, irritada.

↝ "Liderança" é a qualidade de quem lidera. "Líder" é quem exerce a "liderança".

↝ "Inclusive": é o contrário de "exclusive". Não pode ser usado como substituto de "até" e "até mesmo". "O jogador xingou até o técnico", e não "inclusive o técnico".

↝ "Grátis" modifica um verbo: "Beba grátis." Pode ser substituído por "de graça" ou "gratuitamente". Com substantivos, use "gratuito": "viagem gratuita".

↝ A preposição "de" não se junta a artigo quando este integra o sujeito de um verbo no infinitivo: "O direito de o presidente escolher", e não "do presidente". A regra vale também antes de pronomes pessoais ("de ele", e não "dele", por exemplo).

↝ Use e abuse da preposição "para" no lugar de "no sentido de" em frases como "A empresa trabalha no sentido de redução de custos."

↝ "O meteorologista alertou que há possibilidade chuva." Não existe "alertar que". Use "para" ou "sobre".

↝ Em vez de "O bandido efetuou cinco disparos", melhor dizer "fez cinco disparos", "deu cinco tiros", "atirou cinco vezes".

❧ "Jogadores que (se) sobressaíram na partida." O verbo "sobressair" não é pronominal, não há o "se".

❧ Quando afirmamos que alguém "desmentiu" algo, estamos sustentando que aquilo que está sendo desmentido é mesmo mentira. Como não sabemos se o que foi dito era realmente mentira, o ideal é usar o verbo "contestar".

❧ Livros e revistas têm capa; jornal tem primeira página.

❧ "Para minimizar o sofrimento dos moradores...", "minimizar os prejuízos...", "minimizar a dor dos que perderam tudo...". Contra o modismo, prefira "diminuir" "reduzir", "atenuar".

❧ Quando o cumprimento precede o pronome de tratamento você, é preciso usar a preposição "a": "Bom-dia a você", e não "Bom-dia você". Os verbos "dar" e "desejar" ficam implícitos. A preposição é dispensável quando trocamos o pronome de tratamento (você, por exemplo) por nome próprio ou substantivo: "Bom-dia, senador".

A Editora Senac Rio publica livros nas áreas de gastronomia, *design*,
administração, moda, responsabilidade social, educação,
marketing, beleza, saúde, cultura, comunicação, entre outras.

Visite o *site* www.rj.senac.br/editora, escolha os títulos de sua preferência e boa leitura.
Fique ligado nos nossos próximos lançamentos! À venda nas melhores livrarias do país.

Editora Senac Rio

Tel.: (21) 2240-2045

Fax: (21) 2240-9656

comercial.editora@rj.senac.br

Editora Senac São Paulo

Tel.: (21) 2187-4450

Fax: (21) 2187-4486

editora@sp.senac.br

Disque Senac: (21) 4002-2002

Este livro foi composto por FA Editoração em Vendetts,
para a Editora Senac Rio, em agosto de 2006.